CYTHREL CERDD

CYTHREL CERDD

ALWYN HUMPHREYS

Argraffiad cyntaf: 2008

Cynllun y clawr: Y Lolfa

Rhif Llyfr Rhyngwladol: 9781847710567

Dymuna'r cyhoeddwr gydnabod cymorth ariannol Cyngor Llyfrau Cymru

Cyhoeddwyd, rhwymwyd ac argraffwyd yng Nghymru
gan Y Lolfa Cyf., Talybont, Ceredigion SY24 5HE
gwefan www.ylolfa.com
e-bost ylolfa@ylolfa.com
ffôn 01970 832 304
ffacs 832 782

RHAGAIR

M AE UN PETH YN sicr – mae'r cythraul canu nid yn unig yn
fyw ac yn iach, ond yn ffynnu, yng Nghymru a phobman
arall. Does fawr o amheuaeth chwaith y bydd y cyflwr yn para
hyd ddiwedd amser, cyn belled ag y bydd dau gerddor yn cyfarfod
â'i gilydd ac yn sôn am eu gorchestion wrth ddiraddio cerddor
arall a ystyrir yn elyn cyffredin. Wrth gwrs, fel nifer o ffenomenau
'ymrysongar' eraill, cenfigen sydd wrth wraidd y cyfan, gyda
chwistrelliad hael o ragfarn i'w ychwanegu at y potes.

Dwi'n cofio eistedd wrth ochr cerddor amlwg o Gymro yr
oedd gen i barch mawr tuag ato mewn gwasanaeth priodas go
grand yn Llundain un tro. Pan oedd yr organydd yn rhoi datganiad
ar yr organ wrth i'r gwesteion gyrraedd yr eglwys, fe wnaeth fy
nghydymaith yngan un llifeiriant di-dor o feirniadaeth ddamniol
ynglŷn â thechneg, brawddegu, arddull a pherfformiad cyffredinol
yr offerynnwr. Fel mae'n digwydd, roedd yr organydd yn un o
gerddorion amlycaf ei faes, ond o wrando ar sylwadau fy nghyfaill,
fe fyddech yn tybio nad oedd yn deilwng o gyffwrdd ag un o
greadigaethau Bontempi o Woolworths! Heb os, mae clustiau yn
gallu bod yn ddewisol iawn yn y broses o wrando.

Ydi, mae'r byd cerdd yn faes gwenwynig a pheryglus. Mewn
gwlad mor fach â'n Gwalia ni mae'n syndod faint o bobol sy'n
fodlon cystadlu mewn eisteddfodau, o gofio bod cymaint o
gysylltiadau agos rhwng cystadleuwyr a beirniaid. Fues i erioed
mewn Eisteddfod Genedlaethol heb glywed rhywun yn dweud
rywbryd yn ystod yr wythnos fod y gantores 'hon a hon' neu'r 'côr
hwn a hwn' wedi cael y wobr oherwydd mai 'hwn a hwn' oedd y
beirniad. Mwy na thebyg bod yr un peth yn wir am y byd Llefaru,
Barddoni, Cerdd Dant, Dawnsio Gwerin a phopeth arall. Ac os oes

angen un disgrifiad ohonom fel cenedl, yna mi hoffwn awgrymu mai pobol ydan ni sydd, rywdro neu'i gilydd, 'wedi cael cam'!

Wrth gwrs, nid ffenomenon draddodiadol Gymreig yn unig ydi'r cythraul canu. Mae yna sôn am y *'diabolus in musica'* – y diafol mewn cerddoriaeth – ers dechrau'r 18fed ganrif o leia. Bryd hynny, cyfwng o dair tôn oedd ystyr y term, sef y pellter cerddorol rhwng y nodyn 'fa' mewn sol-ffa a'r nodyn 'te'. Mae'n naid hynod o anodd ac amhersain i'w chanu a dyna'r rheswm i'r Eglwys ei gwrthod yn ei cherddoriaeth gynnar ac iddi felly gael ei chysylltu â'r diafol, a'i gwahardd yn ystod cyfnod y Dadeni. Yn ôl fy hen ddarlithydd cerdd ym Mhrifysgol Hull, yr Athro Denis Arnold, roedd y 'diafol mewn cerddoriaeth' yn bresennol ynghynt, yn yr Oesoedd Canol, tua'r adeg y bu i'r mynach Guido d'Arezzo ddyfeisio'i system o raddfa nodau, sef rhagflaenydd y sol-ffa.

Ond beth bynnag am hanes y tarddiad, prif nodwedd y cythraul canu ydi'r gallu i'n difyrru. Llyfr o anecdotau cerddorol ydy hwn, ac er nad ydy llawer o'r straeon yn adlewyrchu cenfigen na malais, mae'r syniad o ddatgelu cyfrinachau am rai o gerddorion mawr y byd ynddo'i hun yn dangos rhyw fath o fwriad amheus – rhyw fath o "Glywsoch chi'r stori yna am Mozart...?"

Mae byd y cerddor yn llawn sefyllfaoedd peryglus. Mae unrhyw berfformiad cerddorol yn rhwym o herio'r duwiau, drwy fod yn ddibynnol ar berffeithrwydd techneg, nerfau llonydd, cynulleidfa fodlon ac yn y blaen. Yn anffodus – neu yn ffodus o safbwynt cyfrol fel hon – dydy pethau ddim mor ddelfrydol â hynny bob tro. Dros y canrifoedd, cafwyd arweinyddion yn cysgu, yn feddw, yn syrthio oddi ar y podiwm, a hyd yn oed yn dioddef ymosodiad arno. Bu offerynwyr yn anghofus a chantorion yn faleisus ar lwyfan. Ym myd yr opera, lle mae cyfuniad annaturiol o sawl elfen, fe gafwyd trychinebau di-ri, rhai ohonyn nhw'n cystadlu ag unrhyw gomedi neu ffars a lwyfannwyd erioed.

Yna, mae'r broses greadigol ynddi'i hun yn gymhleth ac yn gallu effeithio'n ddirfawr ar natur feddyliol y cyfansoddwr. Bu canran uchel o gyfansoddwyr yn orsensitif ar y gorau, yn aml yn wyllt, ac ar brydiau yn hollol wallgof. Er bod nifer o lyfrau cerdd yn cyfeirio at drindod fawreddog y tair B – Bach, Beethoven a Brahms – ychydig iawn sy'n nodi bod y ddau gyntaf wedi bod yn y carchar, a bod y trydydd yn caru gwraig ei ffrind pennaf (yn ei ddychymyg o leiaf). Ychwanegwch enwau Haydn (a oedd yn briod â gwraig anobeithiol y byddai o ei hun yn ei galw yn 'fwystfil uffernol'), a Liszt (eilun ei gyfnod efo'i wallt hir at ei ysgwyddau, wedi'i wisgo'n gyfan gwbl mewn du a chadwyni arian yn hongian o'i ddillad) ac fe gewch ddarlun tra gwahanol o'r ddelwedd draddodiadol sydd i'w gweld mewn geiriaduron cerdd.

Tra bo mwyafrif yr hanesion yma yn bendifaddau yn hollol wir, rhaid cyfaddef bod rhai yn ddiamheuol apocryffaidd. Pwy na chlywodd feirniad cerdd yn sôn ar ôl gwrando ar gystadleuydd yn canu'r aria 'It is enough' am ei brofiad yntau'n canu'r un darn un tro gan ddenu'r sylw 'It **was** enough!' Hefyd, mae'n amlwg mai jôcs amrwd ydy ambell un yn eu plith, tebyg i un o'r rhai cynharaf yn fy nghof pan oedd Charles (Williams) yn arwain noson lawen ym Modffordd ers talwm ac yn sôn am arweinydd cyngerdd yn cael trafferth yngan enw'r cyfansoddwr Rimsky-Korsakov. Ar ôl ymarfer drosodd a throsodd, pan ddaeth y noson fawr fe gyhoeddodd, 'Mae'r darn nesaf gan Rimsky-Korsakov – "The Bum of the Flightle Bee"!'

Yn ôl y diffiniad geiriadurol, anecdot ydy stori fer sy'n dwyn i gof ddigwyddiad bywgraffiadol diddorol. Does dim rhaid i'r anecdot fod yn ddigri, er bod hynny'n ofynnol mewn rhai gwledydd, ond fe ddylai fod yn wir – neu, o leia fod yn seiliedig ar ryw fath o wirionedd gwreiddiol. Efallai mai'r peth pwysicaf un ydy fod yr hanesyn yn cyfleu rhyw agwedd ar fywyd sy'n cyfoethogi ein hymwybyddiaeth ni o'r person a'r profiad dan sylw.

Hynny yw, fe all cyfrol o anecdotau gynnwys bron unrhyw beth, ac felly dyna osod rhwydd hynt i mi fy hun yn syth. Yn naturiol, dewis personol sydd yma, ac yr wyf wedi hepgor rhai storïau – yn enwedig o'r byd opera – sydd efallai'n orgyfarwydd ac wedi'u hailadrodd hyd syrffed. Mewn gair, dyma'r math o ddeunydd sydd wedi apelio ata i dros y blynyddoedd – diddordeb a ddechreuodd pan oeddwn yn cyflwyno rhaglen radio o'r enw

Cywair bob bore Sul yn ddi-fwlch am dros 17 mlynedd. Bu'r profiad hwnnw yn hynod o werthfawr am nifer o resymau, ac fe hoffwn ddiolch i bawb fu'n cydweithio â mi yn ystod y cyfnod hwnnw. Diolch hefyd i Joy fy ngwraig am ddioddef, unwaith eto, gyfnod o esgeulustod cyffredinol pan oedd y 'llyfr' yn mynnu fy sylw.

Dyna ddigon o esgusodion, ac ymlaen â ni – ar wahân i un peth, sef y byddai'n hynod o annheg pe na bai awdur y gyfrol hon yn cynnwys un anecdot yn ei erbyn o ei hun. Felly dyma hi:

> Criw o sopranos yn aros y tu allan i ddrws rhagbrawf yr Unawd Merched dan 25 oed mewn eisteddfod rywle yng Nghymru flynyddoedd lawer yn ôl. Medd un gantores wrth y llall:
>
> "Ti'n siŵr o gael llwyfan heddiw."
>
> "Be ti'n feddwl?"
>
> "Wel, ti ddim yn gwisgo *bra* ac Alwyn Humphreys ydi'r beirniad."

Yn amlwg, mae'r stori yna yn sarhad ar gymeriad ac enw da cerddor parchus, ac fe allai wneud niwed parhaol i'w gredinedd. Felly, yn naturiol, bydd rhaid cymryd camau cyfreithiol yn yr achos hwn – o bosib y tro cyntaf erioed i awdur sicrhau iawndal am gael ei enllibio yn ei lyfr ei hun!

Alwyn Humphreys

A

ADDEWID

Pan oedd ei gariad (ei wraig yn ddiweddarach), Constanza, yn ddifrifol wael fe dyngodd **Mozart** lw y byddai'n cyfansoddi darn arbennig o ddiolchgarwch i'r Hollalluog os câi hi iachâd. Fe gafodd, ac fe ddechreuodd Mozart ar ei osodiad o'r Offeren yn C leiaf, K 427. Fe berfformiwyd rhan ohono ym mis Hydref 1783, â Constanza yn un o'r unawdwyr, ond wnaeth Mozart fyth gwblhau'r darn i gyd.

ADDYSG

Er ei fod yn eithaf enwog yn barod fe wnaeth **George Gershwin** ar un adeg ystyried cymryd gwersi cerdd gan **Stravinsky**.

"Faint fyddai'n gostio i mi?" gofynnodd Gershwin.

"Faint wyt ti'n ennill mewn blwyddyn?" holodd Stravinsky.

"Can mil o ddoleri," oedd yr ateb. Ar ôl saib hir, meddai Stravinsky: "Os felly, beth am i ti roi gwersi i mi?"

ANGHYTUNDEB

Wrth ymarfer un o gonsiertos piano Beethoven un tro, efo Otto Klemperer yn arwain, fe ddechreuodd y pianydd **Artur Schnabel** anghytuno efo amseriad yr arweinydd gan geisio tynnu'r gerddorfa ar ei ôl. Pan sylweddolodd Klemperer beth oedd yn digwydd fe stopiodd y gerddorfa. "Schnabel!" meddai'n flin. "*Fan hyn* mae'r arweinydd!"

"Dwi'n gwbod," meddai Schnabel, "a *fan hyn* mae'r pianydd. Ond ble mae Beethoven?"

ANGLADD

Roedd 7,000 o bobol yn bresennol yn angladd **Joseph Parry** ym Mhenarth. Yn ei deyrnged fe ddywedodd y bardd a'r emynydd adnabyddus, Elfed: "Nid yw'n bosib claddu cerddor – am fod ei ganiadau yn dal yn fyw yn y cof, yn perarogli ei enw..."

Joseph Parry

AMODAU

Cyn priodi, roedd **Mahler** wedi gwneud yn glir beth a ddisgwyliai gan ei wraig, Alma: roedd yn rhaid iddi gadw'i gwallt a'i hymddangosiad yn dwt a thaclus; rhaid oedd iddo gael llonyddwch perffaith i gyfansoddi, gan gynnwys, os oedd raid, byw mewn ystafelloedd ar wahân am gyfnodau; rhaid fyddai i'w wraig fodloni ar gael ei gwmni ar adegau arbennig yn unig, wedi'u trefnu o flaen llaw – ac ar yr adegau hynny fe ddylai hi bob amser edrych yn drwsiadus; ni ddylai deimlo'n wrthodedig oherwydd hyn, na meddwl bod yr amodau yn golygu diffyg diddordeb ar ran ei gŵr.

AMSER

Roedd **Erik Satie** yn bresennol adeg perfformiad cyntaf *La Mer* gan Debussy, darn lle mae'r symudiad cyntaf yn dwyn y teitl 'Rhwng toriad gwawr a chanol dydd ar y môr'. Yn ddiweddarach fe ofynnodd y cyfansoddwr i Satie am ei farn.

"Wel," meddai hwnnw, "roeddwn i'n hoffi'r rhan honno tua chwarter i un ar ddeg."

ANFADDEUGAR

Mewn perfformiad fel Cavaradossi yn yr opera *Tosca* un tro, roedd y tenor Eidalaidd **Galliano Masini** yn cael trafferthion dybryd efo'i lais yn ystod y ddwy act gyntaf, gan ddenu ymateb swnllyd gan y gynulleidfa. Ond, ar ôl perfformiad gwefreiddiol o'r aria 'E lucevan le stelle' yn yr act olaf, fe newidiodd y dorf ei barn a gweiddi am *encore*. Camodd Masini yn urddasol i flaen y llwyfan, rhythu ar y gynulleidfa, ac yna dweud (mewn Eidaleg, siŵr o fod):

"Stwffiwch hi!"

ANFARWOLDEB

Roedd y cyfansoddwr o Awstralia, **Percy Grainger**, yn benderfynol o sicrhau bod ei weithiau cerddorol, ei drysorau a hyd yn oed ei sgerbwd yn cael eu diogelu i'r dyfodol. Fe sefydlodd y Grainger Museum a'r Grainger Library yn White Plains, Efrog Newydd, yn arbennig ar gyfer hyn – er nad yw rhai o luniau mwyaf eithafol y cymeriad rhyfedd hwn yn cael eu harddangos yno (rhy anweddus i roi'r union fanylion mewn cyfrol deuluol fel hon!). Mae adeilad pwrpasol tebyg ym Melbourne, Awstralia (hefyd o'r enw Grainger Museum), adeilad y bu i'r cerddor helpu i'w godi gyda'i ddwylo ei hun yn llythrennol, drwy ymuno â'r adeiladwyr am 6 o'r gloch bob bore.

ANFFAWD

Yn yr opera *A Village Romeo and Juliet* gan **Delius**, mae'r cariadon, yn eu hanobaith, yn mynd mewn cwch i ganol llyn ac yna yn tynnu'r plwg er mwyn boddi gyda'i gilydd. Yn naturiol, gan mai byd yr opera sydd dan sylw, mae'r cariadon yn canu deuawd angerddol cyn suddo i'r dyfroedd. I sicrhau amseru perffaith rhaid i'r criw llwyfan gael arwydd pendant pryd yn union i weithredu'r mecanwaith sy'n peri i'r cwch suddo'n raddol i grombil y llwyfan. Mewn un perfformiad yn 1920, o dan arweiniad **Syr Thomas Beecham**, roedd y cyfrifoldeb o roi'r arwydd wedi'i roi i'r arweinydd cynorthwyol, gŵr ifanc ac amhrofiadol, ac un noson fe wnaeth hynny bedair tudalen yn rhy fuan. O'r herwydd fe glywyd y ddeuawd yn cael ei chanu'n rhyfeddol gan ddau a oedd eisoes wedi suddo o dan y don, ond yn amlwg yn gallu anadlu a chanu heb anhawster!

ANIFEILIAID

Ar ymweliad â fferm efo'i rieni un diwrnod, fe glywodd **Mozart** fochyn yn rhoi gwich. *"G sharp,"* meddai, a phan aeth rhywun i mewn i'r tŷ at y piano darganfyddwyd ei fod yn hollol gywir. Gyda llaw, roedd y bachgen yn ddwyflwydd oed ar y pryd!

♫

Pan oedd y soprano **Elin Manahan Thomas** yn canu rhan yr unawdydd yn y darn corawl tyner 'Miserere' gan Allegri gyda'r grŵp lleisiol The Sixteen mewn cyngerdd yng Nghadeirlan Caer-wysg un tro, roedd yn naturiol ychydig yn nerfus y foment cyn y cymal tyngedfennol sy'n cynnwys yr C uchel (Top C) nefolaidd, hyfryd. Dyna pryd yr ymddangosodd cath oren, fawr, dew ac ymlwybro heibio'r allor. Ar ôl crwydro'n hamddenol ymysg y tenoriaid a lapio'i hun o gwmpas ambell goes, fe setlodd yn y diwedd ar draed Elin, codi ei choes a llyfu ei hun. Gyda'r gynulleidfa yn ei dyblau'n chwerthin, afraid dweud na chafwyd C uchel o enau'r gantores y noson honno.

♫

Aeth Syr Arthur Sullivan i ymweld â **Rossini** un bore, a darganfod y cyfansoddwr yn chwarae rhyw ddarn byr ar y piano. "Beth ydy hwn'na?" gofynnodd Sullivan. Meddai Rossini, yn hollol ddifrifol: "Heddiw ydy diwrnod pen-blwydd fy nghi, a bob blwyddyn dwi'n cyfansoddi rhyw ddarn bach iddo fo."

♫

Ymhlith teitlau cyfansoddiadau **Haydn** mae: *Yr Iâr, Yr Aderyn, Y Llyffant* ac *Yr Ehedydd.*

♫

"Mae elyrch, mae'n debyg, yn canu cyn marw," meddai **S T Coleridge**, "a fyddai o ddim yn ddrwg o beth petai ambell berson yn marw cyn canu."

♬

Ymysg gweithiau'r cyfansoddwr Almaenig toreithiog **Telemann**, mae darn yn dwyn y teitl *Trauer-Musik eines kunsterfahrenen Kanarien-Vogels* – Miwsig Angladdol i Ganeri Talentog – sy'n disgrifio trychineb deuluol pan wnaeth cath y cyfansoddwr fwyta'r caneri.

♬

Yn ei llyfr am ei gŵr, **Pierre Monteux**, fe gymerodd Doris Hodgkins Monteux arni mai ci'r teulu oedd yr awdur. Teitl y llyfr ydy *Everyone is Someone* – gan Fifi Monteux!

♬

Ar ôl i'r tenor **Franco Corelli** frathu gwddf y soprano **Birgit Nilsson** yn ystod perfformiad operatig – oherwydd cweryl ynglŷn â pha mor hir y dylid dal rhai nodau – fe gadwodd Nilsson draw o'r perfformiadau dilynol gan ddweud ei bod yn dioddef o'r gynddaredd (*rabies*).

Franco Corelli a Birgit Nilsson

♫

Does neb yn sicr ai yn ddamweiniol ynteu yn fwriadol y bu farw **Peter Warlock** pan ddaethpwyd o hyd iddo mewn ystafell lawn nwy gwenwynig yn ei fflat yn Chelsea. Ond, heb unrhyw amheuaeth, roedd o wedi gwneud yn siŵr fod y gath wedi cael ei gollwng allan.

ANODDEFGARWCH

Roedd **Beethoven** yn casáu hagrwch o unrhyw fath, mewn merched a dynion. Os byddai'n bwyta mewn tafarn a rhywun hyll yn dod i eistedd gyferbyn ag o, mi fyddai'n codi a symud i ran arall o'r ystafell. Rhaid cofio bod hyn i gyd yng nghyswllt y dyn a arestiwyd un tro a'i luchio i'r carchar am fod ei ymddangosiad mor flêr fel i'r heddlu ei gamgymryd am grwydryn. Hwn hefyd oedd y gŵr a oedd yn byw mewn hofel o dŷ lle roedd platiau o hen weddillion bwyd o gwmpas y lle, a phot pi-pi (llawn) o dan ei grand piano!

ARIAN

Pan gwynodd rhywun fod y ffioedd yr oedd y cyfansoddwr Rwsiaidd **Igor Stravinsky** yn eu codi am berfformiadau o'i weithiau yn rhy uchel, mi ddwedodd: "Rwy'n ei wneud ar ran fy nghyd-gyfansoddwyr Schubert a Mozart, a fu farw mewn tlodi."

Dro arall cynigiwyd swm o $4,000 i Stravinsky i lunio cerddoriaeth ar gyfer ffilm, ond gwrthod wnaeth o gan ddweud nad oedd yn ddigon. Pan eglurodd y cynhyrchydd mai dyna'r union swm yr oedd cyfansoddwr arall enwog iawn wedi'i dderbyn am ffilm gynharach, ateb Stravinsky oedd: "A, wel, mae ganddo fo dalent. Does gen i ddim. Felly mae'r gwaith yn mynd i fod yn fwy anodd i mi."

♫

Gwraig gyfoethog yn gofyn am wasanaeth y feiolinydd enwog **Fritz Kreisler** mewn parti yn ei chartref ac yn berffaith hapus pan ofynnodd o am y swm enfawr o $3,000. Y wraig wedyn yn egluro nad oedd hi am i'r cerddor gymysgu efo'i gwesteion gan fod rhai ohonyn nhw yn bobol bwysig dros ben.

"Os felly," meddai Kreisler, "dim ond dwy fil fydd y ffi."

Fritz Kreisler

♫

Mewn parti un tro, fe dynnodd y pianydd a'r cyfansoddwr Gwyddelig **John Field** ddarlun bychan o'i wraig allan o'i boced gan ddweud ei bod hi wedi bod yn ddisgybl iddo ar un adeg. Ond, eglurodd, fe'i priododd hi am nad oedd hi byth yn talu am ei gwersi ac y gwyddai na fyddai byth yn cael yr arian.

♫

Myfyriwr oedd yn awyddus i astudio efo'r pianydd enwog **Artur Schnabel** yn gofyn iddo beth fyddai cost y gwersi.

"Pum gini," oedd yr ateb.

"Mae gen i ofn na alla i fforddio hynny," meddai'r myfyriwr.

"Wel, dwi hefyd yn rhoi gwersi am dair gini," meddai Schnabel. "Ond dydw i ddim yn cymeradwyo'r rheiny."

♫

Pan oedd **Syr Adrian Boult** yn gyfrifol am Gerddorfa Symffoni'r BBC yn Llundain, roedd o byth a beunydd yn cael trafferthion efo adrannau gweinyddu'r gorfforaeth, oedd yn cadw llygad barcud ar y pwrs ariannol. Un tro, fe gododd anghydfod oherwydd bod Syr Adrian am berfformio gwaith oedd yn gofyn am gerddorfa anferth ac yn cynnwys dau chwaraewr picolo yn hytrach na'r un arferol. Mewn cyfarfod gyda'i bennaeth fe geisiodd Boult ddadlau ei achos ond heb lwyddiant: doedd yr arian oedd ar gael ond yn caniatáu un picolo – dyna'r rheol a dyna ddiwedd ar y mater.

Penderfynodd Syr Adrian, felly, fynd uwchben ei bennaeth a mynd i weld rheolwr y rhwydwaith. Gan nad oedd hwnnw am ymddangos fel petai'n ochri efo neb, awgrymodd gyfaddawd: "Beth am i chi ddefnyddio un picolo," meddai, "a gosod y chwaraewr yn nes at y meicroffon."

♫

Gofynnodd rhywun i'r impresario operatig Rudolph Bing a oedd y soprano **Birgit Nilsson** yn gallu bod yn anodd.

"Dim o gwbl," oedd yr ateb. "Os rhowch chi ddigon o arian i mewn, mi ddaw'r llais gogoneddus yma allan."

Yn yr un modd roedd barn Nilsson am Bing yn ddeifiol. Pan ofynnodd ei chyfrifydd iddi wrth iddi lenwi ei ffurflen dreth a oedd ganddi unrhyw rai oedd yn ddibynnol arni, fe atebodd hithau:

"Oes – Rudolph Bing."

♫

Priododd y cyfansoddwr Ffrengig **Debussy** a Rosalie (Lily) Texier ar 19 Hydref 1899. Yn gynharach y bore hwnnw roedd Debussy wedi rhoi gwers biano i un o'i ddisgyblion – er mwyn gallu talu am y wledd briodas!

Claude Debussy

♪

Pan benderfynodd yr impresario J H Haverly ofyn i **Adelina Patti** gymryd rhan mewn cyfres o gyngherddau, gofynnodd iddi faint fyddai'n gostio: "Pedair mil o ddoleri'r noson – dau gan mil doler am hanner cant o gyngherddau," oedd yr ateb.

"Ond, Madame," meddai Haverly, "mae hynny bedair gwaith yn fwy na'r hyn rydyn ni'n talu Arlywydd yr Unol Daleithiau am flwyddyn gyfan!"

"Felly," meddai Patti, "pam na chewch chi'r Arlywydd i ganu i chi?"

♪

Jean Sibelius:
"Mae'n anodd cynnal sgwrs gall efo cerddorion. Os ydach chi isio sgwrs go iawn mae'n llawer gwell cael cwmni gwŷr busnes, oherwydd y cyfan mae cerddorion isio'i drafod ydy arian."

♪

Xavier Cugat:
"Mi fyddai'n well gen i chwarae *Chiquita Banana* a chadw fy mhwll nofio na chwarae Bach a llwgu."

ARWEINYDDION

Syr John Barbirolli:

"Ydych chi'n gwbod pam rydan ni, arweinyddion, yn byw mor hen? Oherwydd ein bod ni'n chwysu cymaint."

Syr Thomas Beecham:

"Yn ystod y rihyrsal dwi'n gadael i'r gerddorfa chwarae fel maen nhw'n dymuno. Yn y cyngerdd dwi'n gwneud iddyn nhw chwarae fel dwi isio."

Ar ôl i Beecham arwain perfformiad o un o operâu Mozart yn Efrog Newydd fe aeth yr arweinydd Fritz Reiner, a oedd yn bresennol yn y gynulleidfa, i'r cefn i'w longyfarch. "Diolch i chi am noson hyfryd yng nghwmni Beecham a Mozart," meddai Reiner.

"Pam llusgo enw Mozart i mewn?" gofynnodd Beecham.

Syr Adrian Boult:

"Arwain ydi'r unig swydd y gellir ei dysgu mewn un noson."

Otto Klemperer:

Ar ôl i Klemperer gyrraedd y podiwm ar ddechrau cyngerdd, sylwodd blaenwr y gerddorfa fod balog yr arweinydd yn agored led y pen a darn sylweddol o'i grys yn ymwthio allan. "Maestro, mae'ch botymau ar agor," sibrydodd y blaenwr. "Beth sydd gan hynny i'w wneud â Beethoven?" gofynnodd yr arweinydd.

Hans Knappertsbusch:

Ar ôl i Knappertsbusch arwain cerddorfa israddol yn nhref Bochum yn ardal y Ruhr yn yr Almaen un noson, fe ddaeth gohebydd papur newydd ato i'w holi, gan ofyn: "Dwedwch i mi, Maestro, pryd oedd y tro diwetha i chi arwain Cerddorfa Symffoni Bochum?"

"Heno – yn bendant," oedd yr ateb.

Dimitri Mitropoulos:

"Dydw i byth yn defnyddio sgôr wrth arwain. ydy dofwr llewod yn mynd i mewn i'r caets yn cario llyfr ar sut i ddofi llew?"

Pierre Monteux:

Yn ystod rihyrsal o *Till Eulenspiegel* gan Richard Strauss gyda Cherddorfa Philadelphia, meddai: "Gyfeillion, dwi'n sylweddoli'ch bod chi'n gwybod y darn yma tu chwith allan, ond os gwelwch chi'n dda, peidiwch â'i chwarae fo felly."

Arturo Toscanini:

Un tro, derbyniodd nodyn ar ddiwedd cyngerdd gan ffermwr oedd wedi bod yn bresennol ac yn amlwg wedi bod yn sylwi'n arbennig ar y chwaraewr trombôn:

"Annwyl Syr, rwy'n credu y dylech chi wybod nad oedd y dyn oedd yn chwythu'r peth hir oedd yn mynd i mewn ac allan ddim ond yn chwarae ar yr adegau prin pan oeddech chi'n edrych i'w gyfeiriad o."

ATGOF

Pan fu farw ei wraig yn ifanc iawn, fe gyfansoddodd **Josef Suk** gylch o bum darn piano dan y teitl *O Matince* – Am Mam – fel y byddai gan ei fab bychan rywbeth i'w gofio amdani.

ATHRYLITH

I bob pwrpas, gwerinwr syml o'r wlad oedd **Bruckner** pan ddaeth i Fienna yn gymharol hwyr yn ei yrfa. Cyn hynny roedd o wedi bod yn fynach yn St Florian gan gyfuno chwarae'r organ efo gwaith labro ar y tir. Bu hefyd yn athro pynciau cyffredinol wrth geisio gwella ac addysgu ei hun yn gerddorol. Ceisio am swydd yn y Conservatoire oedd ei fwriad wrth ddod i Fienna ac fe ofynnwyd iddo fynd i Eglwys Maria Treu (*Piaristenkirche*) ar amser penodedig pan fyddai panel o arholwyr y coleg yn barod i wrando ar ei ddatganiad ar yr organ. Yn swp o nerfau, fe berfformiodd Bruckner ei ddarn cyntaf ac yna disgwyl yn amyneddgar am sain y gloch fel arwydd iddo symud ymlaen at y darn nesaf. Yn lle hynny, o dywyllwch yr eglwys, fe glywodd lais y prif arholwr yn sibrwd wrth ei gyd-weithwyr: "Y fo ddylai fod yn ein harholi ni!"

AW!

Adolphe Adam:

"Dwi ddim yn credu ei bod hi'n annheg i ddisgrifio cyngherddau amatur fel achlysuron lle mae'r gerddoriaeth yn peri i'r perfformwyr fod yn hapus a'r gwrandawyr i anobeithio."

Aaron Copland:

"Mae gwrando ar Bumed Symffoni Vaughan Williams fel syllu ar fuwch am dri chwarter awr."

Arnold Bax:

"Mae pob symudiad olaf gan Bach yn swnio fel peiriant gwnïo."

Syr Thomas Beecham:

"Dwi'n clywed bod Toscanini yn cael trafferthion efo'i lygaid ac felly'n gorfod arwain popeth ar ei gof. Mae hyn yn dyblu ei broblemau o ystyried ei fod o, drwy'r holl flynyddoedd, wedi bod yn fyddar hefyd."

Hans von Bülow:

"Nid dyn ydy tenor, ond clefyd."

Otto Klemperer

Roedd yr arweinydd yn bresennol mewn darlith oedd yn cael ei thraddodi gan y cyfansoddwr Almaenig Paul Hindemith un tro, a'i chael yn ddiflas tu hwnt ac yn llawer rhy hir. O'r diwedd daeth y cyfan i ben, a'r darlithydd yn eistedd i lawr gan ofyn i'w gynulleidfa a oedd gan unrhyw un gwestiwn. Ar ôl rhai eiliadau cododd Klemperer ar ei draed a gofyn: "Ble mae'r toiled?"

Mendelssohn:

"Mae cerddoriaeth **Berlioz** mor ddryslyd ac anniben fel bod angen golchi'ch dwylo ar ôl cyffwrdd un o'i sgôrs."

Adelina Patti

Ar ôl cyngerdd daeth gwraig oedrannus at Patti i'w chanmol am ei thechneg ardderchog. Ond, meddai, efallai y gellid bod wedi cael mwy o deimlad a chalon yn y canu – ac yr oedd tuedd i ruthro drwy ambell aria, gan golli'r naws. A rhag ofn i Patti feddwl nad oedd gan y wraig gymhwyster i feirniadu yn y fath fodd fe roddodd ei henw: Jennie Lind.

"O ie, roeddech chi'n arfer bod yn gantores enwog unwaith on'd oeddech chi," meddai Patti. "Rwy'n cofio fy nhaid yn sôn amdanoch chi."

Adelina Patti

Stravinsky (ar ôl clywed am ddarn newydd y cyfansoddwr modern John **Cage** dan y teitl *4'33"*, lle mae perfformiwr yn eistedd wrth y piano mewn distawrwydd am 4 munud a 33 o eiliadau, yna'n cau'r caead a cherdded oddi ar y llwyfan):

"Rwy'n edrych ymlaen at glywed gwaith estynedig gan yr un cyfansoddwr."

Józef Hofmann (wedi i rywun ddod ato ar ôl cyngerdd i ddweud wrtho ei fod wedi rhoi popeth i'w berfformiad o'r *Melodie* gan Rubinstein):

"Roedd rhaid i mi – wnaeth Rubinstein ddim rhoi llawer i mewn i'r darn, naddo?"

♪

Cyn iddo ddod yn ymherawdr, roedd Napoleon yn eithaf cyfeillgar efo'r cyfansoddwr Eidalaidd **Cherubini**, ac yn eistedd wrth ei ochr un tro yn ystod perfformiad o un o'i operâu.

"Gyfaill annwyl," meddai'r cadfridog, "dwi'n siŵr dy fod yn gerddor ardderchog, ond mae dy fiwsig mor swnllyd a chymhleth fel na alla i wneud na phen na chynffon ohono."

"Wel," meddai Cherubini, "rwyt ti'n sowldiwr ardderchog, dwi'n siŵr, ond pan mae cerddoriaeth yn y cwestiwn, maddeua i mi os dweda i nad ydw i'n credu bod angen i mi ostwng lefel fy ngwaith i lefel dy ddeallusrwydd di."

♪

Roedd **Cherubini** yn gwylio perfformiad cyntaf un o operâu ei ddisgybl **Halévy**, a heb ddweud gair o'i enau drwy gydol y ddwy act gyntaf. Allai Halevy ddim diodde mwy ac felly fe ofynnodd yn daer: "Maestro, dach chi ddim am ddweud dim wrtha i?"

"Yli," meddai Cherubini, "dwi wedi bod yn gwrando arnat ti am ddwy awr, a dwyt **ti** ddim wedi dweud dim wrtha **i**."

♪

Pan oedd pianydd, a oedd hefyd yn chwaraewr golff eithaf da, yn rhoi datganiad yn Llundain, fe ddigwyddodd dau gerddor gyfarfod, ac meddai un: "Dwi'n clywed bod hwn-a-hwn yn chwarae **Beethoven** yma heno."

"Ydi, wir?" meddai'r llall. "Mae gen i ofn mai Beethoven fydd yn colli."

♪

Anfonodd y cyfansoddwr Almaenig **Hugo Wolf** un o'i ganeuon at **Brahms** gan ofyn ei farn ac awgrymu ei fod yn nodi unrhyw wallau efo croes. Dychwelwyd y llawysgrif heb farc arni, gyda'r eglurhad: "Doeddwn i ddim eisiau gwneud mynwent o'th gyfansoddiad."

♪

Y ddau gyfansoddwr **Moszkowski** a **Glazunov** yn cerdded ar hyd strydoedd Fienna ac yn pasio heibio tŷ lle roedd plac y tu allan yn dynodi bod Schubert wedi byw yno.

"Wyt ti'n meddwl y bydd yna blac ar fy nhŷ i ar ôl i mi farw?" gofynnodd Glazunov.

"Dim amheuaeth," meddai Moszkowski.

"A beth fydd y geiriau arno fo, wyt ti'n feddwl?"

"Wel, 'Tŷ ar werth' wrth gwrs!"

AWGRYM

Roedd y cyfansoddwr Ffrengig o'r 6ed ganrif **Josquin des Pres** wedi cael adduned sawl tro am swm o arian ychwanegol gan ei gyflogwr, y Brenin Louis XII. Ond, er gwaethaf llawer awgrym, doedd dim golwg ohono. Penderfynodd Josquin ddefnyddio tacteg wahanol a chyfansoddi motét i'w berfformio o flaen y brenin, gan osod geiriau o Salm 119 a chynnwys adnod 49: 'Cofia y gair wrth dy was, yn yr hwn y peraist i mi obeithio.'

Wrth wrando, fe ddeallodd y brenin y neges yn syth ac fe dalwyd yr arian. I ddangos ei werthfawrogiad fe gyfansoddodd Josquin ddarn arall, gan ddefnyddio geiriau pellach o'r un salm, y tro yma adnod 65: 'Gwnaethost yn dda â'th was, O Arglwydd, yn ôl dy air.'

Josquin des Pres

B

BANDIAU PRES

Yn ôl **Syr Thomas Beecham** mae bandiau pres yn iawn yn eu lle – a'r lle hwnnw ydy yn yr awyr agored, filltiroedd i ffwrdd.

BARN

Pierre Monteux:

"Prif waith arweinydd ydy cadw'r gerddorfa efo'i gilydd a gwireddu bwriadau'r cyfansoddwr – nid bod yn fodelau teiliwr, peri i wragedd gweddw lewygu, na thynnu sylw cynulleidfaoedd efo'n 'dehongliadau'."

BEIRNIADAETH GERDDOROL

George Bernard Shaw:

"Does dim yn well gen i ar ôl noson hir o ddatganiadau piano na chael fy nannedd wedi'u drilio."

"Ynglŷn â'r oratorio *The Redemption* gan Gounod, os ewch chi i mewn beth amser ar ôl iddi gychwyn a dod allan beth amser cyn y diwedd, fydd y profiad ddim yn rhy ddrwg."

Edward Appleton:

"Does dim ots gen i ym mha iaith y caiff opera ei chanu, cyn belled nad ydy hi'n iaith dwi'n ei deall."

Charles Baudelaire:

"Dwi'n caru Wagner, ond mae'n well gen i'r math o fiwsig sy'n cael ei gynhyrchu pan fo cath yn cael ei hongian gerfydd ei chynffon ac yn ceisio dal ei gafael yng ngwydr ffenestr efo'i chrafangau."

Berlioz (am Handel):

"Llond twb o borc a chwrw."

Noel Coward:

"Mae pobol yn anghywir pan maen nhw'n deud nad ydy canu opera fel roedd o erstalwm. **Mae** o fel roedd o erstalwm – dyna be sy'n bod arno fo."

César Cui:

"Mae Symffoni Gyntaf Rachmaninov yn f'atgoffa o ddeg pla'r Aifft – y math o gerddoriaeth a fyddai'n apelio at breswylwyr Conservatoire yn uffern."

Eduard Hanslick:

"Mae consierto Tchaikovsky i'r ffidil yn cyfleu'r syniad, o bosib am y tro cyntaf erioed, y gall darn o gerddoriaeth fod yn ddrewllyd i'r glust."

Irving Kolodin:

"Mae enw Reger yr un fath o'i sillafu ymlaen ac yn ôl – ac yn rhyfedd iawn mae ei gerddoriaeth yn cyfleu'r un nodwedd."

Oscar Levant:

"Mae (Leonard) Bernstein yn defnyddio cerddoriaeth fel cyfeiliant i'w arwain."

Bernstein

Rossini:

"Dydy hi ddim yn deg beirniadu'r opera *Lohengrin* (gan Wagner) ar ôl un gwrandawiad. Ac yn sicr dydw i ddim yn bwriadu gwrando arni yr eilwaith."

Sibelius:

"Peidiwch â chymryd sylw o'r *critics*. Ni chodwyd cofgolofn i adolygydd erioed."

Mark Twain:

"Roedd Wagner yn gerddor a gyfansoddodd gerddoriaeth sy'n well nag y mae'n swnio."

Oscar Wilde:

"Mae'n well gen i gerddoriaeth Wagner nag un neb arall. Mae mor swnllyd fel y gallwch chi siarad drwy'r perfformiad i gyd."

BENDITHION

Martin Luther:

"Mae cerddoriaeth yn ddisgyblaeth ac yn feistres trefn ac ymddygiad – mae'n peri i bobol fod yn dynerach ac yn fwynach, yn fwy moesol ac yn fwy rhesymol."

Martin Luther

BLEWIACH

Pan oedd y tenor **Walter Midgley** yn canu yn yr opera *Rigoletto* yn y Tŷ Opera Brenhinol, Covent Garden, daeth ei fwstás ffug yn rhydd wrth iddo gymryd anadl ddofn yn yr aria 'Questa o quella'. Wrth i'r blewiach lithro i lawr ei gorn gwddf a pheryglu ei fywyd fe besychodd y canwr yn galed gan ryddhau'r mwstás a'i anfon fel bwled ar draws y gerddorfa a tharo'r arweinydd, Erich Kleiber, yn ei wyneb.

♫

Yn ôl arferiad y cyfnod, roedd nifer o edmygwyr benywaidd **Beethoven** yn awyddus i gael cudyn o'i wallt. Un tro, fe benderfynodd cyfaill y cyfansoddwr, Karl Holz, chwarae tric ar un foneddiges drwy dorri blew oddi ar farf gafr, a'i anfon ati fel tamaid o wallt y meistr. Fe gadwodd hithau'r trysor yn ofalus hyd y dydd y datgelwyd y gwir wrthi, pan aeth ar frys mewn tymer ddrwg i gwyno wrth Beethoven. Yn y fan a'r lle, fe gymerodd y cyfansoddwr siswrn a thorri llond llaw o wallt o gefn ei ben a'i roi iddi. Mae Beethoven yn disgrifio'r digwyddiad yn ei 'Lyfrau Ymddiddan' enwog ac, yn ôl y sôn, mae'r blewiach yn dal i fodoli hyd heddiw.

BODDHAD

Aeth y cyfansoddwr **Gustav Mahler** ar ymweliad â rhaeadrau Niagara un tro. Ei ddedfryd? *"Fortissimo* o'r diwedd!"

BRWYDR

Yn anfoddog iawn fe fu raid i Ddug Wellington un tro eistedd drwy berfformiad o waith Beethoven, *Brwydr Vitoria (Buddugoliaeth Wellington)*, sy'n darlunio trechu'r Ffrancod ym mrwydr Vitoria yn Sbaen ym 1813. Yn ddiweddarach, fe ofynnodd rhywun i'r Dug a oedd y miwsig yn debyg i'r ymladd go iawn.

"Dduw mawr, nag oedd," atebodd Wellington. "Pe bai'r frwydr wedi bod fel'na, mi fuaswn i wedi dianc am fy mywyd!"

Dug Wellington

BRYS

Pan oedd cyhoeddwr yn awyddus iawn i ryddhau cyfansoddiad newydd gan **Stravinsky** fe'i hanogodd i gwblhau'r darn ar frys.

"Brysio!" meddai Stravinsky. "Dwi byth yn brysio. Does gen i ddim amser i frysio!"

BWYD

Fe ddyfeisiodd **Anton Filitz**, chwaraewr cello a chyfansoddwr Almaenig o'r 18fed ganrif (awdur yr emyn-dôn adnabyddus 'Filitz'), ffordd o goginio pryfed cop gan fynnu eu bod yn blasu fel mefus. Bu farw ym 1760 – wedi'i wenwyno'i hun.

♫

Ac yntau'n hoff iawn o'i fwyd, **Rossini** ddyfeisiodd y pryd a elwir yn Tournedos Rossini – cyfuniad cyfoethog o gig eidion, madarch, bara, garlleg a *foie gras*. Fe ddywedodd un tro: "Does dim byd gwell na bwyta. Mae chwant bwyd i'r stumog yn union fel y mae serch i'r galon. Yr arweinydd ydi'r stumog, sydd yn rheoli cerddorfa fawr ein hemosiynau, gan ein cyffroi i weithredu. Mae bwyta, caru, canu a threulio bwyd fel pedair act yr opera ysgafn a elwir bywyd, sy'n mynd heibio fel swigod siampên. Mae unrhyw un sy'n gadael iddyn nhw dorri, heb eu mwynhau yn gyntaf, yn ffŵl."

♫

Pan oedd **Rossini** yn siopa yn ei hoff siop fwyd un tro, dywedodd y perchennog wrtho ei fod wedi bwriadu gofyn am ffafr oddi wrth y cyfansoddwr ers peth amser, sef llun a'i lofnod arno.

"Dim problem," meddai Rossini a chan dynnu llun o'i boced fe ysgrifennodd arno: "Cyflwynedig i ffrind gorau fy stumog."

♫

Roedd **Handel** hefyd yn fwytawr heb ei ail. Un tro aeth i dafarn ac archebu pryd o fwyd i dri. Ar ôl disgwyl yn hir aeth y cyfansoddwr i gwyno am yr oedi, â'r tafarnwr yntau'n egluro ei fod yn aros i'r cwmni i gyd gyrraedd cyn dod â'r bwyd.

"Damia chi, ddyn," meddai Handel. "Fi **ydi'r** cwmni!"

♫

Yr unig fwyd fyddai **Erik Satie** yn ei fwyta fyddai'r hyn a alwai yn 'fwyd gwyn' – wyau, siwgr, esgyrn wedi'u torri'n fân, braster anifeiliaid, halen, cnau coco, reis, maip, caws a physgod.

BYDDARDOD

Roedd cerddor amatur yn Berlin wedi mynd yn fyddar ac o'r herwydd yn drist iawn o golli ei gyfrwng pennaf o fwynhad. Ar ôl gofyn cyngor gan sawl arbenigwr heb fawr o lwyddiant, roedd gan un meddyg awgrym gwahanol iawn.

"Tyrd i'r opera efo mi heno," ysgrifennodd ar ddarn o bapur.

"Ond i beth?" gofynnodd y cerddor. "Chlywa i 'run nodyn."

"Dim ots," meddai'r meddyg, "o leiaf mi gei di weld rhywbeth."

Felly aeth y ddau i'r theatr i weld yr opera *Olympie* gan **Spontini**, un o'r cyfansoddwyr mwyaf swnllyd glywodd y byd erioed. Yn yr act olaf, pan gyrhaeddwyd uchafbwynt llethol, fe drodd y claf at ei feddyg yn gyffrous: "Doctor, dwi'n clywed!" gwaeddodd. Gan nad oedd unrhyw ymateb, gwaeddodd eto: "Doctor, ry'ch chi wedi fy iacháu." Dim ond syllu'n syn wnaeth y meddyg – roedd yntau mor fyddar â phost!

♫

I'w helpu i ddal i allu cynnal sgwrs ar ôl iddo fynd yn fyddar roedd **Beethoven** yn defnyddio'r 'Llyfrau Ymddiddan' enwog. Yn amlwg roedden nhw hefyd yn fodd i'w alluogi i wneud sylwadau preifat heb i neb arall wybod. Dyma rai:

"Os edrychi di arni o'r ochr mae ganddi hi din arbennig!" (Cyfeiriad at wraig ifanc rhyw arweinydd cerddorfa oedd yn eistedd wrth y bwrdd nesaf.)

"Dwi'n lecio'r un fach dew yna." (Cyfeiriad, mae'n debyg, at weinyddes mewn tŷ bwyta.)

♫

Pan oedd **Smetana** yn dioddef o *tinnitus* – gan golli ei glyw yn gyfan gwbl wedi hynny – fe fynegodd effeithiau dychrynllyd y cyflwr yn y Pedwarawd Llinynnol yn E leiaf. Yn y symudiad olaf clywir nodyn E uchel iawn yn rhan y ffidil gyntaf i ddynodi'r poendod.

C

CADW AMSER

Roedd gan **Offenbach** glust arbennig o sensitif. Un tro, roedd y cyfansoddwr wedi diswyddo'i fwtler ond wedi rhoi testimonial ardderchog iddo ar ei ymadawiad.

"Pam ar y ddaear wnaethoch chi gael gwared ohono os oedd o mor dda?" gofynnodd rhywun.

"Wel," meddai Offenbach, "roedd o'n arfer curo'r llwch allan o 'nillad i'r tu allan i'm hystafell, ac allai o byth wneud hynny mewn amseriad cyson."

CAMDDEALLTWRIAETH

Wrth ymarfer ar gyfer datganiad un tro yn y Tŷ Opera ym Mharis, fe gwynodd y soprano **Angelica Catalani** fod traw'r piano yn llawer rhy uchel iddi a gadawodd y cyfrifoldeb o sicrhau'r newid i'w gŵr, Capten Valabrèque, dyn nad oedd yn gyfarwydd iawn â materion celfyddyd. Ar ddiwedd y cyngerdd y noson honno roedd y gantores yn gandryll gan nad oedd dim wedi newid, a hithau wedi gorfod canu ei darnau mewn cyweirnodau llawer rhy uchel i'w llais. Pan ymddangosodd ei gŵr, cwynodd Catalani'n chwyrn wrtho gan fynnu eglurhad pam yr oedd wedi esgeuluso ei waith. Mynnodd yntau ei fod wedi trefnu yn ôl ei dymuniad ac anfonodd am y person oedd wedi cael ei orchymyn i wneud y gorchwyl. Pan ymddangosodd hwnnw, roedd Catalani'n fud mewn anghrediniaeth. Meddai ei gŵr wrth y saer coed: "Faint wnest ti ostwng y piano, Charles?" Yr ateb oedd: "Tua dwy fodfedd, syr."

Angelica Catalani

♪

Mae'r Tŷ Opera yn ninas Mecsico mewn ardal braidd yn amheus ac yn gyrchfan boblogaidd i ladron a drwgweithredwyr. Wrth gymryd rhan mewn cynhyrchiad gwisg gyfoes o *Carmen* un tro ar noson drymaidd, fe benderfynodd y tenor Eidalaidd a oedd yn canu'r brif ran fynd allan i dorri'i syched yn un o'r tafarndai cyfagos.

Roedd o'n weddol sicr y byddai digon o amser ganddo i gael un cwrw sydyn cyn ailymuno â'r perfformiad ar y llwyfan. Ond, wrth iddo gerdded yn frysiog drwy'r strydoedd cefn, fe ddaeth criw o blismyn heibio, ei arestio a'i lusgo i'r swyddfa heddlu leol. Doedd protestiadau'r tenor ddim o fudd o gwbl – roedd yn amlwg i'r heddlu ei fod yn ddihiryn go iawn, yn ei wisg amheus a'i edrychiad amlwg o euog. Yn ei Sbaeneg bratiog fe geisiodd yr Eidalwr egluro ei fod yng nghanol cynhyrchiad ac y byddai ei absenoldeb yn dod â pherfformiad yr opera i stop sydyn oni bai eu bod nhw'n ei ryddhau ar frys. Creodd hyn rialtwch mawr ymysg y plismyn, oedd yn grediniol fod eu carcharor wedi meddwi'n dwll. Dim ond pan agorodd ei geg i ganu aria enwog Don José, 'Cette fleur que tu m'avais jette' (Cân y Blodyn), y sylweddolwyd ei fod yn dweud y gwir ac y cyrchwyd o'n ôl i'r Tŷ Opera mewn car heddlu gyda'i seiren yn seinio a'i oleuadau yn fflachio.

♫

Pan fu farw penteulu yn Abertawe fe ofynnodd y disgynyddion i'r Canon Don Lewis a fyddai ots ganddo pe bai miwsig gan **Ivor Novello** yn cael ei gynnwys yn y gwasanaeth angladdol gan fod yr ymadawedig mor hoff o'r gerddoriaeth. "Dim o gwbl," oedd yr ateb ac aed ymlaen â'r cynlluniau. Ar fore'r cynhebrwng, pan gyrhaeddodd y Canon yr amlosgfa roedd y prif swyddog yn gandryll. "Pam ar y ddaear," gwaeddodd, "rydych chi'n bwriadu caniatáu'r miwsig di-chwaeth yna heddiw?" Eglurodd Don Lewis nad oedd o'n ystyried 'We'll gather lilacs' yn anaddas o gofio'r sefyllfa.

"O," meddai'r swyddog, gan dewi'n syth, "mae hynny'n iawn. Roeddwn i wedi cael ar ddeall mai 'Keep the home fires burning' oedd y darn."

♫

Yn ystod rihyrsal un tro gwylltiodd **Toscanini** yn gacwn efo un o aelodau'r gerddorfa a gorchymyn iddo adael y llwyfan. Wrth gyrraedd y drws, trodd yr offerynnwr at yr arweinydd a gweiddi: "I'r diawl â thi!" Ac ymateb Toscanini? "Mae'n rhy hwyr i ymddiheuro!"

CANTORION

Maria Callas:

Am Joan Sutherland: "Dwi wedi gweld mwy o symudiadau dramatig mewn lwmp o bren."

Ar ôl i Tito Gobbi ddweud wrthi na ddylai hi gyfeirio at yr opera fel "fy *Traviata* i" gan mai *Traviata* Verdi oedd hi: "Gwranda – fy *Traviata* i ydy hi, ac os na fyddi di'n ofalus mi wna i ddinistrio dy ff***n gyrfa di."

Ar ôl i'r baswr Boris Christoff feiddio sefyll o'i blaen yn ystod y gymeradwyaeth ar ddiwedd opera: "Y tro nesaf y gwela i di, dwi'n gobeithio y byddi di'n marw o'r *pox*."

Ar ddiwedd opera arall fe dynnodd flodyn o'i *bouquet* a'i roi i'r tenor Mario del Monaco gan wenu'n gariadus a sibrwd: "Ti'n rêl hen g★★t."

Wrth gynorthwyydd Winston Churchill: "Dwedwch wrtho fo ei fod o'n ddyn diflas, ac fel rhech."

Pethau ddywedwyd amdani:

Herbert von Karajan: "Be? Gweithio efo'r bitsh yna o Groeges? Fe fuasai'n well gen i gyflawni hunanladdiad."

♫

Kiri te Kanawa:

Disgrifiad yr athro canu Americanaidd Ira Siff ohoni: "*A viable alternative to Valium.*"

Luciano Pavarotti:

"Mae'n well gen i hedfan ar Concorde oherwydd alla i ddim mynd i mewn nac allan o doiledau awyrennau cyffredin. Ar daith dair awr a hanner mi fedra i ddal."

CANU

Kodály:

"Mae ein hoes fecanyddol yn mynd i'n harwain at lwybr sy'n

diweddu gyda dyn ei hun yn troi'n beiriant; dim ond canu all ein hachub ni rhag ffawd o'r fath."

CARIAD

Artur Rodzinski:

"Dim ond pan fydd pob un ohonom – a phob cenedl – yn dysgu cyfrinach cariad tuag at ddynoliaeth y daw'r byd i fod yn un gerddorfa fawr, yn dilyn curiad yr Arweinydd mwyaf ohonynt i gyd."

CEFNDIROL

Ar ganol agoriad arddangosfa ddarluniau ym Mharis ym 1902 fe eglurodd **Erik Satie** ei fod o a chriw o gerddorion yn mynd i berfformio Cerddoriaeth Ddodrefn – hynny yw cerddoriaeth gefndirol, rhywbeth fel papur wal na ddylid gwrando arno. Pan gychwynnodd y perfformiad distawodd pawb, wrth eu bodd yn clywed y gerddoriaeth, tra bod Satie yn gandryll ac yn annog y dorf i anwybyddu'r miwsig.

CERDD-LADRAD

Un o'r cyfansoddwyr mwyaf poblogaidd yn Fienna pan oedd **Mozart** yn byw yno oedd Vicente Martín y Soler.

"Mae peth o'i gerddoriaeth yn eithaf neis," oedd sylw Mozart amdano, "ond ymhen deng mlynedd fydd neb yn cofio dim amdano fo na'i fiwsig."

Gwir y gair, wrth gwrs – ar wahân i un alaw o eiddo Soler sy'n dal yn hynod boblogaidd heddiw – a hynny oherwydd i Mozart ei dwyn a'i dyfynnu yng ngolygfa'r wledd yn yr opera *Don Giovanni*!

♫

Pablo Casals:

"Rhaid i ni beidio ag anghofio bod y cyfansoddwyr mawr ymhlith y lladron mwyaf erioed. Fe wnaethon nhw ddwyn oddi wrth bawb ac o bobman."

Pablo Casals

♫

Pan gyflwynodd Al Jolson ei gân newydd 'Avalon' – cân yr oedd o wedi'i chyfansoddi ar y cyd efo Vincent Rose – yn y Winter Gardens ym 1920, fe gafwyd protest chwyrn. Yn ôl **Puccini** a'i gyhoeddwr Ricordi, roedd alaw'r gân yn hynod debyg i'r aria 'E lucevan le stelle' allan o'r opera *Tosca*. Fe brofwyd yr achos yn y llysoedd ac fe enillodd Puccini $25,000 mewn iawndal. Hefyd, roedd Puccini i gael holl freindaliadau'r gân wedi hynny – swm sylweddol gan i 'Avalon' fwynhau cryn lwyddiant a chael ei pherfformio gan nifer o gantorion poblogaidd y cyfnod.

CERDDORIAETH FFILM

Syr Thomas Beecham:
"Dim ond sŵn ydy cerddoriaeth ffilm – mae'n fwy poenus na'm *sciatica*."

CERDDORIAETH GYFOES

John Barbirolli:
"Tair rhech a rasberi wedi'u trefnu i gerddorfa."

Jascha Heifetz (y feiolinydd enwog):
"Rwy'n perfformio darnau cyfoes bob hyn a hyn am ddau reswm. Yn gyntaf, i ddangos i'r cyfansoddwr na ddylai ysgrifennu mwy,

ac yn ail, i'm hatgoffa fy hun cymaint ydw i'n gwerthfawrogi Beethoven."

CERDDORIAETH JAZZ

John Philip Sousa:

"Mi fydd jazz yn para tra bo pobol yn ei glywed o drwy eu traed yn hytrach na'u hymennydd."

Henry van Dyke:

"Jazz ydy miwsig wedi ei ddyfeisio gan gythreuliaid er mwyn poenydio ynfydion."

CERDDORIAETH OD

Fe gyfansoddodd **Darius Milhaud** ddeunaw o bedwarawdau llinynnol – does dim yn anghyffredin yn hynny, efallai, ond fe all Rhif 14 a Rhif 15 gael eu perfformio yr un pryd, hynny yw, fel wythawd llinynnol!

COF

Yn ei dyddiadur fe gofnododd gwraig y pianydd **Józef Hofmann** ei fod wedi codi'i aeliau mewn syndod un noson wrth weld bod 'Amrywiadau Handel' gan Brahms wedi ei gynnwys yn rhaglen ei gyngerdd, gwaith nad oedd wedi'i berfformio (na hyd yn oed edrych arno) ers dwy flynedd a hanner. Eto i gyd, fe chwaraeodd Hofmann y darn heb betruso – a heb gopi – yn berffaith!

♫

Yn un o'i hunangofiannau mae **Arthur Rubinstein** yn disgrifio fel y bu raid iddo unwaith ddysgu'r darn cymhleth *Symphonic Variations* gan César Franck ar y trên ar y ffordd i gyngerdd – heb biano!

COMISIWN

Ym 1942 fe gomisiynodd syrcas Barnum and Bailey y coreograffydd enwog Balanchine i greu bale i'w dawnsio gan eliffantod. Ar

ôl cytuno, fe ffoniodd Balanchine y cyfansoddwr adnabyddus
Stravinsky:

"Dwi angen darn byr o fiwsig," meddai.

"Pa fath o fiwsig?" gofynnodd y cyfansoddwr.

"Polka," atebodd Balanchine.

"Ar gyfer pwy?"

"Eliffantod."

"Pa mor hen ydyn nhw?"

"Rhai ifanc."

"O'r gora, os ydyn nhw'n ifanc mi wna i."

A dyna sut y daeth y 'Circus Polka' i fod. Yn ddiweddarach, fe gafodd Stravinsky gyfarfod â Bessie, y prif eliffant, ac fe ysgydwodd ei throed.

CORAU MEIBION

Aelod o gôr meibion ar ôl perfformiad eisteddfodol yn gofyn i gyfaill (oedd yn aelod o gôr arall) am ei farn.

"Da iawn," meddai'r cyfaill yn anfodlon.

"Beth am y dehongliad?"

"Ia, iawn."

"A'r tempo?"

"Addas iawn."

"A beth am y canu – beth am sain y côr?"

"Wel, roeddwn i'n gallu clywed dy lais di'n glir, beth bynnag!"

CREFYDD

Hans von Bülow:

"Rwy'n credu yn Bach y Tad, Beethoven y Mab, a Brahms fel Ysbryd Glân cerddoriaeth."

♫

Otto Klemperer mewn cyfarfod i drafod repertoire ar gyfer cyngerdd mewn neuadd yn Israel ac un o aelodau'r pwyllgor yn awgrymu perfformio'r *Meseia*. Klemperer yn codi'i ben efo golwg ddyrys ar ei wyneb: "Oni fu rhyw broblem fach un tro rhwng eich gwlad chi a'r Meseia?"

♫

Gwraig aristocrataidd yn cael gwahoddiad gan **Handel** i un o'i ymarferion ar gyfer oratorio'r *Meseia* ac yn ei longyfarch yn wresog wedyn ar ei osodiadau o'r geiriau sanctaidd. Ond sut tybed, gofynnodd y wraig, yr oedd hynny'n bosibl, a Handel mor sigledig yn ei ddealltwriaeth o'r iaith Saesneg.

"Madam," atebodd y cyfansoddwr, "rwy'n diolch i Dduw fod gen i ychydig o grefydd."

♫

Ar ôl y perfformiad cyntaf yn Llundain o'r *Meseia* fe aeth Handel i ymweld â'r Arglwydd Kinnoul. Roedd yntau'n llawn edmygedd o gampwaith diweddara'r cyfansoddwr ac yn ei longyfarch ar greu adloniant mor safonol i'r bobol.

"Mi fyddwn i'n siomedig os mai dim ond creu adloniant iddyn nhw wnes i," atebodd Handel. "Fy mwriad i oedd eu gwneud nhw'n well pobol."

♪

Yn ystod yr ymarferion adeg y perfformiad cyntaf o'r 9fed Symffoni gan **Beethoven**, roedd y cantorion yn crefu ar i'r cyfansoddwr leihau eu baich. Ond gwrthod yn bendant wnaeth Beethoven. Protestiodd un o'r unawdwyr, y contralto Caroline Unger-Sabatier, yn uchel i'w wyneb gan ei alw'n 'dreisiwr yr organau lleisiol'. Ond roedd Beethoven yn ddidostur, ac felly meddai'r unawdydd wrth ei chyd-gantorion: "O wel, mae'n rhaid i ni arteithio ein hunain yn enw Duw, felly!"

♪

Wrth gadw cwmni i'r pianydd a'r cyfansoddwr Gwyddelig **John Field** pan oedd ar ei wely angau, fe benderfynodd ei ffrindiau anfon am rywun i offrymu gweddi. Gan nad oedd neb yn siŵr pa enwad oedd y cerddor, rhaid oedd gofyn i'r truan gwael. "Pabydd ynteu Calfinydd wyt ti?" gofynnodd rhywun. Yn egwan iawn fe ddaeth yr ateb: "Pianydd ydw i."

CYCHWYN

Doedd ymddangosiad cyhoeddus cyntaf **Caruso** ddim yn llwyddiant, ac yntau wedi cael ei alw i berfformio ar fyr rybudd, a hynny ar ôl iddo yfed gormod o win. Y noson ganlynol, fodd bynnag, a'r tenor rheolaidd yn ôl, roedd y gynulleidfa'n anhapus gyda'i berfformiad gan fynnu bod 'y meddwyn bychan' yn dychwelyd. Y tro hwn, roedd Caruso'n llwyddiant ysgubol a'r bore trannoeth fe anfonwyd ffotograffwyr i'w gartref i dynnu ei lun. Yn anffodus roedd yr unig grys yn ei feddiant yn cael ei olchi, ac felly bu raid i'r tenor daenu planced oddi ar ei wely dros ei ysgwyddau – a dyna'r 'wisg operatig' sydd i'w gweld yn y lluniau papur newydd cyntaf ohono.

CYDYMDEIMLAD

Yn ystod taith gyngherddau yn Sbaen ysgrifennodd **Artur Schnabel** lythyr at ei wraig yn dweud ei fod, yn ystod perfformiad o'r *Diabelli Variations* gan Beethoven, wedi teimlo'n flin dros y gynulleidfa. "Y fi ydi'r unig un sy'n mwynhau hyn i gyd, a fi sy'n cael yr arian; nhw sy'n talu ac yn gorfod dioddef."

CYFARWYDDYD

Uwchben un o'i ddarnau piano fe roddodd y cyfansoddwr Ffrengig **Erik Satie** y geiriau yma: "I'w berfformio gyda'r ddwy law yn y pocedi."

Erik Satie

CYFIEITHIADAU

Doedd y cyfansoddwr Hwngaraidd **Zoltan Kodály** ddim yn gallu siarad gair o Saesneg, felly pan aeth draw i'r Unol Daleithiau un tro i arwain rhai o'i weithiau, roedd hi'n ymddangos bod problem. Ond, gan fod un o aelodau'r gerddorfa yn rhugl mewn Almaeneg a'r cyfansoddwr yn medru'r iaith honno hefyd, penderfynwyd mai dyna fyddai'r ateb. O'r cychwyn cyntaf roedd hi'n amlwg y byddai'n anodd plesio'r cyfansoddwr a bod ei amynedd yn prinhau. Yn sydyn, aeth yn goch fel tomato gan sgrechian: "*Schweinhunde! Sie spielen wie Schweinhunde!*"

Ystyriodd y cyfieithydd y sefyllfa'n ofalus: "Gyfeillion," meddai, "mae'r maestro yn edmygu'ch perfformiad yn fawr iawn, ond yn gofyn tybed allech chi roi ychydig mwy o fynegiant yn y gerddoriaeth."

♪

Unawdydd tenor (di-Gymraeg) yn canu'r aria 'Che gelida manina' ('Your tiny hand is frozen') allan o *La Bohème* mewn cyfieithiad Cymraeg yn un o gyngherddau Cerddorfa Genedlaethol Ieuenctid Cymru, ac yn camynganu'n ddirfawr. Yn lle 'Mae'th dyner law yn rhewi' fe glywyd 'Mae'th dyner law yn **drewi!**'

CYFLWYNIAD

Pan aeth Lotte, merch **Otto Klemperer**, â'i frecwast iddo yn ei ystafell wely un bore, roedd merch ifanc yn gorwedd yno gyda'i thad oedrannus. "Dyma fy merch, Lotte," meddai'r arweinydd, ac yna, gan droi tuag at ei gydymaith, meddai: "A chi – beth ddwedsoch chi oedd eich enw chi?"

CYNGOR

Un tro gofynnodd gŵr ifanc i **Mozart** am gyngor ynglŷn â chyfansoddi symffoni. Awgrymodd Mozart y byddai'n well, efallai, dechrau efo rhywbeth symlach, fel baled.

"Ond roeddech chi'n cyfansoddi symffonïau pan oeddech chi'n ddim ond deg oed," protestiodd y llanc.

"Gwir," meddai Mozart, "ond doedd dim rhaid i mi ofyn am gyngor."

♪

George Bernard Shaw:
"Dysgwch yn drwyadl sut i gyfansoddi ffiwg, ac yna peidiwch."

♪

Cyngor y cyfeilydd **Gerald Moore:** "Pan fyddwch chi'n cerdded ar y llwyfan, peidiwch â sathru ar ffrog y soprano."

♪

Pan ddangosodd **R S Hughes** ei gân 'Y Golomen Wen' (sy'n cynnwys y gair 'colomen' yn cael ei ailadrodd sawl tro) i'w gyfaill D Emlyn Evans, ymateb hwnnw oedd: "Mae yna ormod o golomennod o lawer fan hyn – gwell i ti saethu rhai ohonyn nhw."

♪

"Os ydy cerddorfa'n chwarae'n dda, ddylai'r arweinydd ddim ymyrryd" – cyngor **Pierre Monteux** i **André Previn**.

CYHOEDDUSRWYDD

Cyn ei pherfformiad o'r brif ran yn yr opera *Salome* yn Llundain, fe addawodd y soprano **Grace Bumbry** wrth aelodau'r wasg y byddai'n diweddu 'Dawns y Saith Gorchudd' yn gwisgo 'dim ond gemau a phersawr'. Sicrhaodd y newyddion dŷ opera llawn, ac am unwaith roedd pob un ysbienddrych wedi'i godi o gefn y seddau. Cadwodd y gantores at ei gair – gan orffen y ddawns mewn *bikini* wedi'i wneud o emau disglair!

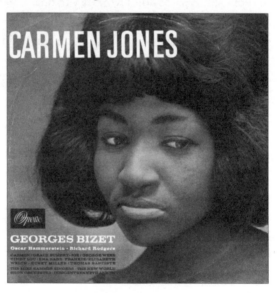

Grace Bumbry

CYMANFA GANU

Mewn cymanfa blant un tro roedd y canu braidd yn ddi-fflach a'r arweinydd yn anobeithio'n llwyr. Wrth gyflwyno'r emyn nesaf, 'Bydd canu yn y nefoedd pan ddêl y plant ynghyd', fe geisiodd ysbrydoli'r plant drwy ofyn:

"Sut ganu y'ch chi'n credu sydd yn y nefoedd?"

Dim ymateb.

"Odych chi'n meddwl bod y canu yn y nefoedd yn well na'r canu yma y bore 'ma?"

Distawrwydd llethol.

"Wel, rwyf fi'n sicr bod y canu yn y nefoedd yn well na fan hyn, on'd yw e? Pam y'ch chi'n credu bod hynny'n wir?"

Ar ôl saib hir, dyma law un bachgen i fyny.

"Ie? Pam y'ch chi'n credu bod y canu'n well yn y nefoedd?"

Yn betrusgar, fe atebodd y bachgen gyda chwestiwn:

"Oherwydd bod gwell arweinydd yn y nefoedd?"

♫

Roedd yr arweinydd corawl **Tim Rhys-Evans** yn arwain cymanfa ganu yn Sir Fôn ac yn gwneud ymdrech lew efo'r iaith Gymraeg, ac yntau'n ddysgwr cymharol newydd. Wrth gyflwyno unawdydd y noson, y soprano **Iona Jones**, meddai'r arweinydd:

"Rwy'n adnabod Iona yn dda iawn – rydyn ni wedi cysgu gyda'n gilydd ar gyrsiau'r Côr Ieuenctid Cenedlaethol!"

Gyda'i hwyneb fel bitrwden fe ysgydwodd y soprano ei phen mewn protest a chywiro'r honiad:

"DYSGU gyda'n gilydd, Tim... DYSGU!"

CYMHARIAETH

Andrés Segovia:

"Dwi wedi cael tair gwraig a thair gitâr. Dwi'n dal i chwarae'r gitârs."

Andrés Segovia

CH

CHWAETH

Roedd atgasedd **Syr Thomas Beecham** tuag at gerddoriaeth Vaughan Williams yn wybyddus drwy'r byd cerdd ac un tro mewn rihyrsal o un o symffonïau'r cyfansoddwr, roedd Beecham yn ymddangos yn hollol ddi-hid gan symud ei freichiau yn hollol fecanyddol wrth arwain y darn. Roedd o'n dal i wneud hynny pan sylweddolodd fod y gerddorfa wedi stopio chwarae.

"Be sy'n bod?" gofynnodd.

"Mae'r darn wedi gorffen, Syr Thomas," meddai'r blaenwr.

Gan edrych i lawr ar ei sgôr a throi i'r dudalen olaf, meddai Beecham: "Wel, wel – ydy wir. Diolch i Dduw am hynny!"

♫

Pan wahoddwyd un o gorau meibion de Cymru i ganu yn ystod cinio blynyddol Cymdeithas Genedlaethol y Trefnwyr Angladdau mewn gwesty yng Nghaerdydd fe benderfynwyd osgoi rhai darnau: 'Dry bones', 'Every time I feel the spirit', 'Down among the dead men', a 'Gravedigger's Song'.

♫

Er bod Glyndebourne yn gwmni opera sy'n arbenigo ar weithiau **Mozart**, fe gafwyd perfformiadau o weithiau cyfoes yno yn achlysurol. Yn ystod egwyl yn un o'r rhain un noson fe welwyd sylfaenydd y cwmni, John Christie, yn syllu tua'r gorwel.

"Ydach chi'n gweld y gwartheg yna draw fan acw yn y pellter?" gofynnodd i rywun a ddaeth heibio. "Wel, pan fyddwn ni'n perfformio Mozart, maen nhw bob amser yn agos, fan yma."

CHWIORYDD

Mae un peth yn gyffredin rhwng **Haydn**, **Mozart** a **Dvořák**, sef iddyn nhw, ar ôl cael eu gwrthod gan ferched roedden nhw'n eu ffansïo, fynd ymlaen wedyn i briodi chwaer eu dewis cyntaf.

Yn achos **Fibich,** roedd y sefyllfa'n fwy cymhleth fyth oherwydd ar ôl marwolaeth ei wraig gyntaf, Ruzena, ym 1873, fe briododd Fibich Betty, chwaer ifanca Ruzena, sef ei chwaer-yng-nghyfraith wrth gwrs!

D

DARLUN

Roedd yr arlunydd Delacroix, a oedd yn ffrind pennaf i **Chopin**, wedi creu darlun o'r cyfansoddwr yn chwarae'r piano, gyda'i gariad, y ferch o nofelydd oedd yn galw'i hunan yn George Sand, yn edrych arno'n llawn edmygedd dros ei ysgwydd. Ond, pan ddaeth perthynas y cariadon i ben, fe dorrwyd y llun i lawr y canol, fel rhyw fath o weithred symbolaidd derfynol. Heddiw, mae'r rhan sy'n cynnwys Chopin yn y Louvre a'r hanner arall sy'n darlunio Sand mewn oriel yn Copenhagen.

Chopin a George Sand

DEHONGLI

Wrth ymarfer y gwaith cerddorfaol *La Mer* gan Debussy un tro, roedd **Toscanini** yn cael trafferth i gyfleu i'r gerddorfa yr union effaith roedd o'n ceisio'i chreu. Yna, fe dynnodd ei hances boced sidan allan a'i thaflu'n uchel i'r awyr. Wrth i bawb yn y gerddorfa wylio'r hances yn disgyn yn osgeiddig i'r llawr, meddai'r arweinydd: "Dyna chi, chwaraewch o fel 'na!"

♫

Pan ofynnwyd i **Martinelli** am ei farn ynglŷn â pherfformiad Eidalwr arall mewn perfformiad o ran *Otello* yn yr opera gan Verdi un tro, fe ddywedodd ei fod yn canu fel gyrrwr lori. O holi ymhellach ynglŷn â pherfformiad rhyw Americanwr o'r un rhan, meddai Martinelli: "Mae **o'n** swnio fel y lori!"

♫

46

Roedd dwy arbenigwraig ar chwarae'r harpsicord (Roslyn Tureck a Wanda Landowska) yn dadlau'n chwyrn ynglŷn â sut i ddehongli gweithiau Bach.

"Gwranda cariad," meddai Landowska. "Chwaraea di yn dy ffordd dy hun, ac mi wna innau chwarae yn ei ffordd **o**."

Y DIAFOL

Wrth gysgu'n sownd un noson fe gafodd y chwaraewr ffidil Eidalaidd **Giuseppe Tartini** freuddwyd lle y gwelodd y Diafol ei hun yn sefyll wrth droed ei wely, yn ceisio bargeinio am ei enaid. Felly fe heriodd Tartini'r Diafol i ymryson cerddorol, pryd y cafodd y cerddor ei synnu gan fedr anhygoel y Gŵr Drwg i berfformio sonata mor brydferth a swynol ar y ffidil. Pan ddeffrôdd Tartini fe geisiodd gofio ac ysgrifennu'r gerddoriaeth roedd wedi'i chlywed yn ei freuddwyd – ac arweiniodd hyn at ei gampwaith, y Sonata yn G leiaf, a elwir yn 'Tril y Diafol'.

DIALEDD

Roedd criw cefn llwyfan y tŷ opera yn Efrog Newydd wedi cael llond bol ar dymer ddrwg a chastiau'r brif soprano enfawr mewn cynhyrchiad o *Tosca*, a hithau wedi bod yn gwneud eu bywyd yn uffern yn ystod yr ymarferion. Felly, ar noson y perfformiad cyhoeddus cyntaf, pan fo Tosca yn lluchio'i hun dros wal uchel y castell i'w marwolaeth, fe drefnodd y criw i osod, nid y fatres wely arferol i arbed ei chwymp, ond trampolîn! Yn ôl y sôn, fe ailymddangosodd y diva dew bymtheg o weithiau, gan hedfan drwy'r awyr, weithiau ar ei chefn, weithiau yn wynebu'r llawr, ond yn sgrechian yn afreolus drwy'r cyfan. Bu raid canslo pob un o'i hymddangosiadau weddill y tymor neu fe fyddai'r gynulleidfa wedi lladd eu hunain yn chwerthin wrth feddwl amdani yng nghyswllt y trampolîn. Druan ohoni, fe ddihangodd i San Francisco i lyfu ei chlwyfau.

♫

Pan berfformiwyd consierto Weber i'r piano, *Konzertstück,* mewn cyngerdd yn Llundain ym mis Ebrill 1852, fe ddaeth yr arweinydd, y cyfansoddwr Ffrengig **Hector Berlioz**, â'r gerddorfa i mewn yn gynnar mewn un lle gan ddifetha unawd bwysig y pianydd. Damwain? Efallai – ond rhaid cofio bod y ferch oedd yn chwarae'r piano, Camille Marie-Denise Moke, wedi bod yn un o gariadon Berlioz rai blynyddoedd ynghynt, ac wedi'i adael mewn gwewyr ar ôl iddi briodi rhywun arall.

♫

Wrth ymarfer ar gyfer y perfformiad cyntaf erioed o *Façade* gan **William Walton**, roedd ymateb y perfformwyr i'r miwsig blaengar yn amrywio o chwerthin uchel i gasineb llwyr, er bod y cyfansoddwr ei hun yn bresennol. Mewn un man, fe gododd y chwaraewr clarinét a syllu'n syth i lygaid Walton.

"Esgusodwch fi, Mr Walton," gofynnodd, "oes yna ryw glarinetydd wedi gwneud niwed i chi erioed?"

♫

Pan ddaeth perthynas **Gounod** â Mrs Georgina Weldon i ben, a hithau wedi'i nyrsio (a chyflenwi cysuron eraill) am gyfnod o tua phum mlynedd yn Llundain, fe yrrodd hi anfoneb am bron i fil o bunnau. Hefyd, fe wrthododd ddychwelyd yr unig gopi llawysgrif o'i opera *Polyeucte* iddo – a bu raid i'r cyfansoddwr ail-greu'r gwaith ar ei gof.

DIDDORDEBAU

Pan nad oedd o'n cyfansoddi neu'n dysgu, roedd **Dvořák** wrth ei fodd yn siarad efo'r peirianwyr, y porthorion a'r gyrwyr trenau yng ngorsaf Prâg. Fe fyddai'n treulio llawer o'i amser hamdden yn cofnodi rhifau trenau a gallai gofio amserlenni'r gwasanaeth yn berffaith ar ei gof.

♫

Er iddo gael ei eni yng ngwesty'r Savoy yn Llundain, roedd gan

Peter Warlock gysylltiadau agos â chanolbarth Cymru, a bu'n byw am gyfnodau yng Nghefn Bryntalch, Sir Drefaldwyn. Roedd wrth ei fodd yn cerdded rhyw 50 i 60 milltir y dydd o gwmpas yr ardal, ond ymysg ei ddiddordebau eraill yr oedd: cadw nifer o gathod o fridiau prin, dawnsio Rwsiaidd mewn gorsafoedd rheilffordd, a gyrru moto-beics yn borcyn!

♫

Fe ddywedodd y cyfansoddwr o Sais **Syr Arnold Bax** y dylid profi popeth mewn bywyd – ar wahân i losgach a dawnsio gwerin.

DIHAREB

"Duw â'm gwaredo rhag cymydog gwael a rhywun sydd newydd ddechrau chwarae'r ffidil" – **Dihareb Eidalaidd**

DIOD GADARN

Roedd y cyfansoddwr Cymreig **R S Hughes** yn hoff iawn o'i ddiod ac ar achlysur cyngerdd mawreddog un noson yng Nghapel yr Annibynwyr, Bethesda, lle roedd yn organydd, fe gyrhaeddodd yn gynnar gyda bachgen ifanc oedd wedi addo ei helpu. Ar ôl gosod ei fiwsig yn barod wrth yr organ, astudiodd y cerddor raglen y cyngerdd yn ofalus a gweld bod cryn dipyn o amser cyn ei dro ef i ymddangos. Felly dywedodd wrth y bachgen am ddod i'w gyrchu o'r dafarn dros y ffordd o fewn dwy eitem i ddatganiad yr organydd. Gwnaeth y bachgen hynny, gan aros yn amyneddgar yn y capel nes dod i'r man tyngedfennol. Ond pan aeth i'r dafarn gwelodd fod R S Hughes yn feddw gaib a bron â methu sefyll ar ei draed. Yn rhyfeddol, fe lusgodd y bachgen y cerddor ar draws y ffordd i gefn y capel, wedyn i fyny'r grisiau at yr organ, a oedd, yn ffodus, yn guddiedig oddi wrth y gynulleidfa y tu ôl i lenni trwchus.

Pan gyhoeddodd y gweinidog mai'r eitem nesaf oedd datganiad gan organydd y capel o'r 'Hallelujah Chorus' gan Handel, cododd y bachgen ddwylo'r datgeinydd ar yr allweddell a sibrwd yn ei glust: "Rŵan!"

Gyda'i lygaid ynghau fe ddechreuodd R S Hughes ar ei berfformiad – gan chwarae'r darn yn berffaith!

♫

Roedd perfformiad cyntaf Symffoni Rhif 1 gan **Rachmaninov** yn St Petersburg ym 1897 yn fethiant llwyr – yn rhannol, mae'n debyg, oherwydd bod yr arweinydd, Alexander Glazunov, yn hollol feddw ar y pryd. Fe adawodd y cyfansoddwr y neuadd cyn y diwedd ac fe rwygodd y sgôr.

♫

Roedd y cyfansoddwr Rwsiaidd **Mussorgsky** wedi derbyn gwahoddiad i gyfeilio i'r tenor Eidalaidd adnabyddus Ravelli un tro, ond ar fore'r cyngerdd, pan alwodd ffrind i'w gyrchu i fynd i rihyrsal, fe ddarganfuwyd y cerddor yn hollol feddw yn ei gartref un ystafell syml a blêr.

"Ddim yn bosibl, na, ddim ar hyn o bryd," meddai'n sigledig, gan geisio codi ar ei draed. "Ond heno mi fydd popeth yn iawn."

Ac yn wir, yn nes ymlaen y noson honno, fe gyrhaeddodd Mussorgsky'r neuadd yn brydlon ac yn sobr. Ond roedd cryn dipyn o ddiodydd ar gael yn y derbyniad ac fe ddechreuodd y cyfeilydd brofi popeth oedd ar y bwrdd, gan fynd yn fwy a mwy meddw fel yr âi'r amser ymlaen. Yna, fe benderfynodd y tenor nad oedd ei lais cystal â'r disgwyl ac felly y byddai'n gorfod canu ei eitemau mewn cyweirnodau is na'r hyn oedd yn y copïau. Roedd hyn yn mynd i fod yn gryn sialens, ac efo trefnwyr y cyngerdd yn poeni'n enbyd fe aeth rhywun at Mussorgsky i ofyn a fyddai'n gallu bodloni'r tenor a thrawsgyweirio'r miwsig ar y pryd? "Pam lai?" meddai yntau gan godi o'i gadair a mynd i gyfarfod y datgeinydd.

Ar ddiwedd y cyngerdd, roedd Ravelli wrth ei fodd ar ôl perfformio efo pianydd oedd yn gallu cyfeilio iddo mewn unrhyw gyweirnod o'i ddewis. Ac wrth ei gofleidio ar y llwyfan, roedd ei edmygedd yn ddi-ben-draw: "*Che artista!*" meddai dro ar ôl tro – "Am artist!"

DIOGI

Roedd **Rossini** yn cyfansoddi yn ei wely un noson pan ddaeth impresario draw i weld sut oedd yr opera'n dod ymlaen. Heb edrych ar ei ymwelydd, gofynnodd y cyfansoddwr iddo godi tudalen o bapur oedd wedi disgyn ar y llawr. Pan wnaeth hynny rhoddodd Rossini'r dudalen yr oedd o'n ysgrifennu arni ar y pryd i'r impresario a gofyn iddo, "Pa un ydi'r gora?"

"Ond," meddai hwnnw, "maen nhw'n union yr un peth!"

"Wel, wyddost ti beth?" meddai Rossini. "Roedd hi'n haws i mi sgwennu un arall na chodi o'r gwely, chwilio am y llall, a dringo'n ôl i mewn."

DISTAWRWYDD

Cyfansoddiad enwocaf **John Cage** ydi'r un â'r teitl *4'33"*, lle mae pianydd yn eistedd wrth y piano am union bedwar munud a thri deg a thair o eiliadau heb gyffwrdd yr allweddell o gwbl. Hynny yw, mae'r darn yn hollol dawel, ar wahân, wrth gwrs, i unrhyw synau naturiol o fewn neu'r tu allan i'r ystafell berfformio. Mae tri symudiad i'r darn (!) a'r cyfan mae'r 'pianydd' yn ei wneud ydy dal wats rasys yn ei law i sicrhau union hyd y gwaith.

Ym 1952 y 'cyfansoddwyd' y gwaith, ond nid Cage oedd y cyntaf i feddwl am y fath beth. Ym 1919 roedd **Ervin Schulhoff** wedi llunio cyfres o bum darn piano, *Fünf Pittoresken*, lle roedd y trydydd symudiad, 'In futurum', yn cynnwys dim ond tawnodau (rests). Er hynny, mae'r ffordd y mae'r holl beth wedi'i nodi yn hynod o gymhleth.

Yn gynharach fyth, roedd **Alphonse Allais**, ym 1897, wedi llunio darn dan y teitl 'Ymdeithgan Angladdol i Ddyn Byddar' sy'n cynnwys cyfres o fesurau heb nodau ynddynt.

Ond mae enghraifft gynharach fyth! Ym 1845–6 fe gyfansoddodd **Schumann** gyfres o ddarnau piano dan y teitl *Carnaval* lle mae tri darn (o'r enw 'Sphinx'*)*, a phob un yn cynnwys un mesur yn unig a'r rheiny'n gosod y tawnodau ar lythrennau arbennig. Mae'r llythrennau'n dynodi rhan gyntaf enw'r cyfansoddwr – Scha – a hefyd enw'r dref lle ganed ei gariad, sef Asch.

DUWIOLDEB

Un o chwaraewyr ffidil enwoca'i gyfnod yn Fienna oedd Ignaz Schuppanzigh, a phan dderbyniodd un o ddarnau **Beethoven** i'w berfformio un tro fe brotestiodd am nodweddion technegol anodd y gwaith, gan ddweud ei fod yn amhosib i'w chwarae.

Ateb Beethoven oedd: "Gwranda gyfaill – pan oeddwn i'n cyfansoddi'r miwsig yna mi oeddwn i'n ymwybodol o bresenoldeb yr Hollalluog Dduw ei hun. Wyt ti'n meddwl y galla i ystyried dy ffidil bitw di pan mae O'n siarad efo mi?"

Donizetti:

"Rossini gyfansoddodd act gyntaf ac act ola'r opera *William Tell*. Ond Duw ei hun sgwennodd yr ail act."

♫

Roedd yr arweinydd **Artur Rodzinski** yn hollol grediniol fod Duw wedi dweud wrtho am apwyntio gŵr ifanc o Lawrence, Massachusetts, a Phrifysgol Harvard fel ei gynorthwyydd yng Ngherddorfa Philharmonig Efrog Newydd. Ei enw oedd **Leonard Bernstein**.

♫

Toscanini, yn anfodlon efo perfformiwr ar yr utgorn: "Mae Duw yn dweud wrtha i sut y dylai'r gerddoriaeth swnio ond rwyt ti'n sefyll yn y ffordd."

♫

Martin Luther:

"Mae'r rhai sy'n casáu cerddoriaeth, fel y penboethion, yn fy mlino. Rhodd gan Dduw yw cerddoriaeth, nid rhodd dyn."

DYCHYMYG

Wrth deithio mewn tacsi yn Efrog Newydd un tro, roedd **Syr Thomas Beecham** yn chwibanu alaw o un o symffonïau Mozart drosodd a throsodd. Ar ôl tipyn fe flinodd y gyrrwr a gofyn i

Beecham: "Oes rhaid i chi wneud hynna?"

"Dim ond fy chwibanu i wyt ti'n glywed," atebodd yr arweinydd. "Dwi'n gallu clywed y gerddorfa i gyd."

DYFEISGARWCH

Pan ddechreuodd Hugh Cudlipp fel gohebydd ar bapur newydd lleol ym Mhenarth, un o'i dasgau cyntaf oedd ysgrifennu adolygiad o berfformiad o'r *Meseia* gan gôr lleol. Gan nad oedd o'n gwybod fawr ddim am y gerddoriaeth dan sylw fe ddyfynnodd Cudlipp gryn dipyn o eiriaduron cerdd fel *Grove's* nes oedd ganddo ryw ddwy fil o eiriau. Ond roedd ei olygydd yn mynnu cael lleiafswm o dair mil, felly fe ddechreuodd yr adolygydd baragraff newydd yn cychwyn: "Enwau aelodau'r côr oedd... "

♫

Wrth gael ei chludo mewn tacsi i gyngerdd fe sylwodd y mezzo-soprano **Risë Stevens** fod y gyrrwr yn feddw ac yn gyrru'n hynod o beryglus. A hithau'n wirioneddol ofnus fe gafodd y gantores syniad sydyn, a gofynnodd i'r gyrrwr stopio a mynd i nôl *hamburger* iddi. Pan aeth yntau allan o'r car, neidiodd hithau y tu ôl i'r llyw a gyrru i ffwrdd.

DYMUNIAD

Pan oedd baswr yn ymarfer un o ganeuon Schubert efo'r cyfeilydd **Gerald Moore** un tro, fe ddarganfu fod y cyweirnod gwreiddiol, F, yn rhy uchel iddo. Ar ôl rhoi cynnig ar y darn hanner tôn yn is – yn E – a'i gael yn rhy isel, fe ofynnodd y canwr a allai Moore gynnig rhywbeth 'yn y canol'.

DYWEDDÏO

Bu bron i **Bruckner** wireddu ei freuddwyd o briodi un tro. Roedd o yn Berlin er mwyn bod yn bresennol mewn perfformiad o'i *Te Deum,* ac yn aros yng ngwesty'r Kaiserhof, lle roedd gwasanaeth y forwyn wedi creu cryn argraff arno. Merch syml, hoffus oedd Ida, yn gwneud ei gwaith yn drylwyr a di-gŵyn efo gwên ar ei hwyneb. Gwelodd Bruckner hyn fel arwydd o ddiddordeb, ac er ei fod o'n 67 oed a hithau'n 19 gofynnodd iddi ei briodi. Yn rhyfeddol fe gytunodd, ac fe gafwyd caniatâd ei rhieni hefyd. Fe ruthrodd Bruckner i'r siop emau leol a phrynu modrwy yn syth, ac yr oedd popeth yn edrych yn ddelfrydol. Yna, wrth drafod trefniadau'r briodas fe ddarganfu Bruckner fod Ida yn Brotestant, ac felly yn hollol wrthun i'w gefndir Pabyddol rhonc. Diddymwyd y cytundeb yn syth a dychwelwyd y fodrwy.

E

EDIFEIRWCH

Ac yntau'n ddyn hynod grefyddol, roedd **Bruckner** yn ystyried rhyw fel rhywbeth hynod wrthun. Tua diwedd ei oes fe gyfaddefodd: "Dim ond unwaith erioed wnes i gusanu merch – ac rydw i wedi difaru hynny byth wedyn." Eto i gyd, dyma'r gŵr a oedd byth a hefyd yn syrthio mewn cariad efo merched yn eu harddegau hwyr.

EDMYGEDD

Gan ei fod yn edmygydd mawr o **Handel**, fe fyddai **Gluck** bob amser yn cadw darlun o'r cyfansoddwr yn hongian ar wal ei ystafell wely. Yn anffodus, doedd Handel ddim yn teimlo'r un fath am ei gydoeswr: "Dydy Gluck ddim yn gwbod mwy am wrthbwynt na'm cogydd, Waltz."

Ond, dydy'r condemniad ddim mor ddrwg ag y mae'n swnio oherwydd roedd cogydd Handel – Gustavus Waltz – yn ganwr bas eithaf talentog.

EGLURHAD

Pan oedd yn hogyn ifanc, fe ddysgodd **Brahms** chwarae'r cello yn ogystal â'r piano. Ond amharwyd ar ei gynnydd pan ddiflannodd ei athro, gan fynd â cello Brahms efo fo.

EGNI

Dydy cyfansoddwyr, yn gyffredinol, ddim yn ddynion sydd wedi bod yn ddiffygiol yn yr act o garu, ond roedd **Chopin** yn grediniol fod y weithred yn gwanhau ei egni tuag at gyfansoddi. Mae'n eithaf posib, wrth gwrs, mai esgus oedd hyn er mwyn osgoi rhai o'r merched chwantus y bu'n ymwneud â nhw. Fodd bynnag, yng nghyd-destun un o'r merched yma, Delfina Potocka, roedd Chopin yn ei lythyrau ati yn hoff o gyfeirio at ran arbennig o'i chorff fel *D flat* – rhywbeth oedd wedi tynnu ei sylw yn aml ac wedi'i rwystro rhag creu campweithiau. Mewn un llythyr arbennig mae Chopin yn dweud ei fod wedi dod o hyd i enw arall cerddorol am y *D flat*, sef *tacet*. Aiff ymlaen i egluro: "*Tacet* ydy saib, twll yn yr alaw. Felly mae'n air addas iawn."

Ffaith: fe gyfansoddodd Chopin un o'i *waltzes* enwocaf yn gyflwynedig i Delfina. A'i chyweirnod? *D flat* wrth gwrs! Dyma'r darn sy'n dwyn yr is-deitl 'Minute Waltz' – tybed a oes arwyddocâd i hynny, o gofio awydd y cyfansoddwr i arbed ei egni?

EIDDIGEDD

Malcolm Williamson, cyfansoddwr o Awstralia fu'n Feistr Cerddoriaeth y Frenhines o 1975 hyd ei farwolaeth yn 2003, yn sôn am Andrew Lloyd Webber: "Mae ei fiwsig o ym mhobman – ond mae hynny'n wir am AIDS hefyd."

(Gyda llaw, rhaid cofio i Williamson fethu cwblhau darn comisiwn ar gyfer Jiwbili Arian y Frenhines ym 1977, ac i Lloyd Webber gael y comisiwn yn ei le yn ddiweddarach adeg dathliadau deugain mlynedd y Frenhines.)

♫

T S Eliot yn sôn am y sioe *My Fair Lady*: "Rhaid i mi gyfaddef – mae gwaith Bernard Shaw yn llawer gwell **efo** cerddoriaeth."

EIRONI

Llysenw **Haydn** oedd 'Papa Haydn', er na wnaeth ei briodas â Maria Anna ddwyn ffrwyth.

♫

Ac yntau'n un o'r cyfansoddwyr cyflymaf erioed, fe gwblhaodd **Rossini** ei opera *Barbwr Seville* mewn 13 diwrnod, a hynny heb newid o'i ddillad nos a heb siafio o gwbl.

"Onid ydy hi'n eironig," meddai ffrind iddo un tro, "dy fod ti wedi cyfansoddi opera dan y teitl *Barbwr Seville* a thithau efo barf yn tyfu ar dy wyneb?"

"Dim o gwbl," meddai'r cyfansoddwr. "Pe byddwn i wedi siafio fe fyddwn i wedi mynd allan. Ac os byddwn i wedi mynd allan, fyddwn i ddim wedi dod yn ôl a chyfansoddi'r opera mewn tri diwrnod ar ddeg!"

♫

Pan wrthododd **Telemann** swydd Cyfarwyddwr Cerdd Eglwys St Thomas, Leipzig, ym 1722, ac ar ôl i'r ail ddewis, Christoph Graupner, fethu cael ei ryddhau gan ei gyflogwr, cynigiwyd y gwaith i **J S Bach**. Geiriau un o gynghorwyr y ddinas ar y panel penodi, gŵr o'r enw Platz, oedd: "Wel, gan na allwn ni gael y gorau, mi fydd raid i ni fodloni ar rywun cyffredin."

EISTEDDFODAU

Arweinydd eisteddfod bentref yn y gogledd (yn hwyr y nos) yn gofyn a oedd rhywun arall am gystadlu ar yr Her Unawd. Gŵr blêr ac afrosgo, yn amlwg wedi treulio'r rhan fwyaf o'r noson yn y dafarn leol, yn ymlwybro tua'r llwyfan ac yn chwilio ym mhocedi ei facintosh am ei gopi o'r gân. Wedi methu dod o hyd iddo, ac ar ôl trafodaeth hir efo'r gyfeilyddes oedd yn ysgwyd ei phen drwy'r cyfan, mae'r arweinydd yn gwneud apêl i'r gynulleidfa:

"Oes 'na rywun yma all chwarae 'Merch y Morwr'?"

Llais o'r cefn: "Faint ydi'i hoed hi?"

EMBARAS

Roedd y pianydd **Rudolf Serkin** i fod i roi datganiad mewn neuadd un noson ond yn methu ymarfer yn y prynhawn oherwydd bod perfformiad o fale yn digwydd yno. Doedd o felly ddim wedi cyffwrdd â'r piano nes iddo gerdded ar y llwyfan ar gyfer ei ddarn cyntaf. Roedd hi'n amlwg yn syth fod sain yr offeryn yn wan a diffygiol, ac fe synnodd Serkin wrth weld bod rhywbeth yn ymwthio allan o dan y llinynnau. Ar ôl y darn cyntaf fe gododd y pianydd a thynnu'r peth allan – sef staes un o'r dawnswyr bale!

Rudolf Serkin

♪

Roedd merch ifanc wedi trefnu i roi datganiad piano ym Merlin un tro ac wedi hysbysebu ei hun fel 'disgybl i **Franz Liszt**' er mwyn gwerthu mwy o docynnau. Gan nad oedd hi erioed wedi hyd yn oed cyfarfod â'r gŵr mawr, fe gafodd andros o sioc ar fore'r cyngerdd i ddarllen yn y papur newydd fod Liszt ei hun ar ymweliad â'r ddinas y diwrnod hwnnw. Yr unig beth i'w wneud oedd cyfaddef y cyfan ac fe aeth draw i'r gwesty lle roedd y cerddor enwog yn aros a gofyn am gyfweliad. Wrth iddi grefu yn ei dagrau am faddeuant fe ofynnodd Liszt iddi pa ddarnau oedd hi'n bwriadu eu perfformio, ac fe'i hanogodd i chwarae un neu ddau ohonyn nhw ar y piano yn yr ystafell. Ar ôl rhoi ambell gyngor iddi ar ei dehongliad, fe hebryngodd Liszt y ferch ifanc tua'r drws. "Dyna ni, 'nghariad i," meddai, "fe alli di ddeud rŵan dy fod ti'n ddisgybl i Liszt."

♪

Ar ôl dod ymlaen i'r llwyfan un noson a gwneud ei hun yn gyfforddus wrth y piano, fe ddaeth golwg gymysglyd dros wyneb **Józef Hofmann**. Yna, fe blygodd ymlaen tuag at wraig yn y rhes flaen a sibrwd: "Madam, alla i gael golwg ar eich rhaglen chi? Dwi wedi anghofio beth ydi'r darn cyntaf."

ESGUSODION

Roedd **Haydn** yn hynod boblogaidd gyda'r merched yn ystod y cyfnod y bu'n byw yn Llundain – gyda rhai ohonyn nhw'n gwisgo hetiau a bathodynnau â'r gair 'Haydn' wedi'i frodio arnyn nhw, yn union fel petai'r cyfansoddwr yn un o sêr y byd roc. Mae llythyrau un o'i ffans mwyaf, Mrs Rebecca Schroeter, wedi goroesi, ac yn un ohonyn nhw, mae'n amlwg fod yr hen Haydn yn cael trafferth cadw i fyny efo'i gofynion:

> F'Anwylyd,
>
> Rwy'n deisyf yn daer am gael gwybod sut ydych chi? Gobeithio bod eich cur pen wedi diflannu'n gyfan gwbl ac i chwi gysgu'n dda.
>
> Gobeithiaf eich gweld, f'annwyl gariad, ddydd Mawrth fel arfer i ginio – ac i aros drwy'r nos gyda mi?

F

Y FELAN

Ym 1915 fe drefnwyd cystadleuaeth cyfansoddi cân i godi ysbryd y genedl yn ystod dyddiau blin y Rhyfel Byd Cyntaf. Enillydd y gystadleuaeth oedd y Sarsiant **Felix Powell** am y gân 'Pack up your troubles in your old kit bag'. Beth amser yn ddiweddarach, dair blynedd ar ôl dechrau'r Ail Ryfel Byd, fe dorrodd Sarsiant Powell ei galon – ac fe laddodd ei hun.

FF

FFAFR

Galwodd bwtsiwr un diwrnod yn nhŷ **Haydn** ac egluro bod ei ferch ar fin priodi ac yr hoffai gael darn o gerddoriaeth arbennig wedi'i gyfansoddi ar gyfer yr achlysur. Cytunodd y cyfansoddwr ac anfonodd *minuet* fechan at y bwtsiwr y diwrnod canlynol. Ychydig ddyddiau'n ddiweddarach clywodd Haydn seiniau'r *minuet* y tu allan i'w ffenest, a dyna lle roedd y bwtsiwr efo bustach anferth wedi'i orchuddio gydag addurniadau, ynghyd â cherddorfa fechan ar y stryd. Eglurodd y bwtsiwr ei fod am dalu'n ôl am garedigrwydd Haydn a hwn oedd y bustach gorau yn ei feddiant. Ni wyddys beth ddigwyddodd i'r anifail wedyn, ond yn sicr fe alwyd y miwsig yn 'Minuet y Bustach' byth wedyn.

FFAFRIAETH

Pan oedd **Haydn** yn gyfarwyddwr cerdd i'r Tywysog Esterhazy roedd o'n cynnal perthynas efo'r gantores Eidalaidd Luigia Polzelli, gwraig ifanc brydferth (29 oed) un o chwaraewyr ffidil y gerddorfa, Antonio, a oedd gryn dipyn hŷn na'i wraig. Roedd Haydn ei hunan yn 47 oed ar y pryd, ond mae'n debyg i Luigia weld manteision amlwg o fod yn caru efo'r arweinydd. Er mai cantores gyffredin iawn oedd hi, roedd Haydn wastad yn rhoi'r rhannau gorau iddi hi ac yn aml yn symleiddio'r gerddoriaeth i gyfateb i'w thalentau cerddorol prin.

FFAITH

Yn Nhrydydd Symudiad ei Bedwarawd Llinynnol Rhif 2, mae **Janáček** yn portreadu dirgryniad wrth i'r cyfansoddwr ddwyn i gof achlysur arbennig (21 Ebrill 1927) pan symudodd y ddaear yn ystod ei garwriaeth efo'i feistres, Kamila Stösslová. (Gyda llaw, roedd Janáček yn 72 oed ar y pryd a Kamila yn 35. O, a gyda llaw eto, hyd y symudiad yw tri munud a hanner.)

Janáček

♪

Pan anwyd plentyn cyntaf **Mahler**, y pen ôl ddaeth allan yn gyntaf. Meddai'r cyfansoddwr: "Dyna 'mhlentyn i yn sicr – yn dangos i'r byd yn union beth mae'n ei haeddu – ei thin."

♪

Pan fu farw ei hail ŵr, fe wnaeth Constanza, gweddw **Mozart**, orchymyn iddo gael ei gladdu yn yr un bedd â'i thad-yng-nghyfraith – hynny yw, Leopold Mozart, tad y cyfansoddwr. Ar y garreg fedd mae'r geiriau:

"Yma y gorwedd ail ŵr gweddw Mozart."

♪

Yn ôl ei gyfaddefiad ei hun, dim ond un berthynas ramantus gafodd y cyfansoddwr Ffrengig **Erik Satie** erioed, ac fe gofnododd union gyfnod y gyfathrach – dydd Sadwrn, 14 Ionawr 1893 hyd ddydd Mawrth, 20 Mehefin yr un flwyddyn. Enw'r ferch oedd Suzanne

Valadon, ac roedd y ffordd y daeth Satie â'r berthynas i ben yn hynod wreiddiol – nid dweud wrthi, nac ysgrifennu at y ferch, ond gofyn i blisman sefyll y tu allan i'w dŷ gyda gorchymyn i rwystro Suzanne rhag mynd i mewn.

♫

Ym mhentre prydferth Raschala yn Awstria mae cofgolofn o'r enw Mozart Pinkelstein, sy'n dynodi bod **Mozart**, ar daith i Brâg ym 1787, wedi stopio yno i bi-pi (*pinkel*).

Y FFIDIL

Roedd **Mischa Elman** yn un o'r rhyfeddodau rheiny allai chwarae sonatas ffidil Beethoven pan oedd yn blentyn ifanc iawn. Un tro, mewn cyngerdd, ac yntau ond yn saith oed, roedd o'n perfformio Sonata Rhif 9 sy'n dwyn y teitl 'Y Gwanwyn' ac sydd yn cynnwys nifer o seibiau hir i'r ffidil tra bo'r piano'n cymryd drosodd. Yn ystod un o'r seibiau fe blygodd rhyw hen wraig fach garedig yn y rhes flaen a chyffwrdd yn ei fraich gan ddweud: "Peidiwch â phoeni, 'ngwas i – chwaraewch rywbeth dach chi'n ei wybod."

♫

Yn ei lyfr ar ogoniannau'r ffidil mae gan yr awdur, y feiolinydd **Joseph Wechsberg**, gymhariaeth ddiddorol. "Mae hen feiolins," meddai, "fel merched ifanc. Maen nhw angen eich cariad a'ch sylw, ond os gwnewch chi gamgymeriad mi wnân nhw sgrechian."

Roedd y chwaraewr ffidil a'r cyfansoddwr o Wlad Belg, **Henri Vieuxtemps**, yn cytuno. "Peidiwch byth â rhoi benthyg eich gwraig na'ch ffidil i neb," oedd ei gyngor. "Maen nhw'n siŵr o ddod yn ôl wedi'u niweidio."

FFRAETHINEB

Anhysbys:

"Ffiwg ydy darn o gerddoriaeth lle mae'r lleisiau'n dod i mewn, un ar ôl y llall, tra bo'r gynulleidfa'n mynd allan, un ar ôl y llall."

Dr Samuel Johnson (ar ôl i rywun ddweud wrtho fod yr hyn a berfformiwyd gan feiolinydd yn 'ddarn anodd iawn'): "Anodd, ddwedsoch chi? Biti na fasa fo'n amhosib."

Will Rogers:

"Y fo ydy fy hoff fath o gerddor. Mae o'n gallu chwarae'r ukelele, ond yn dewis peidio."

Spike Milligan:

"Dwi'n gobeithio y bydd Harry Secombe farw o 'mlaen i oherwydd dwi ddim isio iddo fo ganu yn fy angladd."

(Fe gafodd ei ddymuniad!)

Jim Fiebig:

"Ddylai neb gael caniatâd i chwarae'r ffidil nes ei fod wedi'i meistrioli."

Rossini:

"Pan nad ydy rhywbeth yn werth ei ddweud, canwch o."

Evelyn Waugh:

"Roedd brwydr Creta yn union fel opera Almaenig – rhy hir a rhy swnllyd."

Syr Thomas Beecham:

"Fe gyfansoddwyd pedwarawdau llinynnol olaf Beethoven gan ddyn byddar, a dim ond pobol fyddar ddylai wrando arnyn nhw."

"Annwyl gyfeillion, mewn 50 mlynedd o arwain cyngherddau, anaml iawn ydw i wedi gweld rhaglen sydd wedi'i hargraffu'n gywir, a dyna sut y mae hi heno. Felly, gyda'ch caniatâd chi, mi wnawn ni rŵan berfformio'r darn rydach chi'n meddwl eich bod chi newydd ei glywed."

♫

Wrth gerddorfa: "Allwch chi ddim darllen? Mae'r sgôr yn dweud *con amore* (gyda chariad), a beth ydach chi'n ei wneud? Rydach chi'n chwarae fel dynion priod."

Wrth i rywun ddangos carreg fedd iddo mewn mynwent yn Sussex ac arni'r geiriau 'Yma y gorwedd cerddor penigamp ac organydd ardderchog', meddai: "Sut ar y ddaear y gallon nhw ffitio'r ddau efo'i gilydd mewn bedd mor fychan?"

Ar ôl clywed bod yr arweinydd Syr Malcolm Sargent wedi cael ei herwgipio yn Tsieina: "Wyddwn i ddim fod y Tsieiniaid mor gerddorol."

Hannah More:
"Mae mynd i'r opera fel meddwi – yn bechod sy'n cario'i gosbedigaeth ei hun efo fo."

Artur Schnabel:
"Mae yna ddwy fath o gynulleidfa – un sy'n pesychu ac un sydd ddim yn pesychu."

Oscar Wilde:
"Dydy teipiadur, pan gaiff ei ddefnyddio gyda mynegiant, ddim hanner mor ddiflas â sŵn piano'n cael ei chwarae gan eich chwaer neu berthynas arall."

Victor Borge:
"Roedd priodas Mozart yn un hapus – ond doedd un ei wraig o ddim."

Al Jolson (ar ôl dioddef heclo cyson rhywun yn y gynulleidfa): "Mi ddylem ni'n dau berfformio deuawd. Mi gana i 'Swanee River' ac mi gei ditha neidio i mewn iddi."

♫

Roedd **Brahms** yn adnabyddus fel cyfansoddwr enwocaf i wlad yn ei gyfnod, ac fel y dyn mwyaf blêr yn Fienna. Un diwrnod galwodd cyfaill, ac o weld y drws yn agored, fe gerddodd i mewn. Roedd yr olygfa ofnadwy o ddillad, llyfrau a phapurau dros y lle i gyd o dan haen drwchus o lwch mor ffiaidd nes i'r cyfaill ysgrifennu'r gair 'MOCHYN' mewn llythrennau bras yn y llwch ar gaead y piano. Y tro nesaf i'r ddau gyfarfod ar y stryd fe ddywedodd y cyfaill ei fod wedi galw yn y tŷ.

"Dwi'n gwbod," meddai Brahms, "mi welais i dy lofnod di."

♫

Un tro, aeth dyn a oedd yn ei ystyried ei hun yn dipyn o ganwr i ofyn barn y cyfansoddwr Eidalaidd **Cherubini** ynglŷn â pha lais oedd o, tenor ynteu bas. Fe agorodd y canwr ei geg a chynhyrchu'r fath sŵn nes peri i'r tŷ ysgwyd i'w seiliau.

"Beth y'ch chi'n credu y dylwn i fod?" gofynnodd y gŵr.

"Ocsiwnîar," meddai Cherubini.

Luigi Cherubini

♫

Roedd gan **Franz Liszt** ateb parod ar gyfer y merched ifanc fyddai'n ei boenydio'n gyson am ei farn ynglŷn â'u canu. "Ydych chi'n credu bod gen i lais da?" fyddai'r cwestiwn arferol.

"'Nghariad annwyl i," meddai Liszt, "nid da ydi'r gair amdano."

♫

Roedd y pianydd **Arthur Rubinstein** yn arfer ymweld â'i hen gyfaill Albert Einstein er mwyn iddyn nhw gael ymarfer deuawdau piano efo'i gilydd. Un diwrnod mi glywodd rhywun oedd yn digwydd pasio'r drws lais Rubinstein yn dwrdio: "O Albert, alli di ddim cyfri?"

♫

Fe anfonodd y Barwn James Rothschild rawnwin arbennig iawn o'i winllannoedd at **Rossini**. Yn ei lythyr diolch fe ychwanegodd y cyfansoddwr: "Er mor ardderchog ydi'ch grawnwin, dydw i ddim yn arfer cymryd gwin ar ffurf tabledi."

Fe gymerodd y Barwn hyn fel gwahoddiad i anfon rhai poteli o'i Château–Lafitte enwog at Rossini.

♫

Pur anaml mae cyfansoddwr yn cymryd sylw o adolygwyr ond roedd yr Almaenwr **Max Reger** wedi cael llond bol ar y beirniadu cyson o'i waith, yn enwedig gan un *critic* arbennig. Felly, yn dilyn un adolygiad deifiol, fe anfonodd Reger lythyr at yr adolygydd:

Annwyl Syr,
Rwy'n eistedd yn ystafell leiaf fy nhŷ. O'm blaen mae'r erthygl a ysgrifenasoch amdanaf. Yn fuan iawn fe fydd y tu ôl i mi.

♫

Ar ymweliad â mynachlog yn yr Almaen fe ofynnwyd i'r cyfan-soddwr Eidalaidd **Nicola Porpora** ddod i un o'r gwasanaethau fel y gallai glywed yr organydd. Ar y diwedd roedd y prif fynach am wybod beth oedd barn yr ymwelydd am y perfformiad, gan ychwanegu bod gan yr organydd galon hael a chrefydd syml.

"O, mae ei symlrwydd yn amlwg iawn," meddai Porpora, "oherwydd dydy ei law chwith ddim yn ymwybodol o'r hyn sy'n digwydd yn ei law dde."

G

GEIRIAU MWYS

Mendelssohn:

"Mae'r Tywysog Albert wedi gofyn i mi fynd draw ddydd Sadwrn am 2 o'r gloch er mwyn i mi gael trio'i organ."

GEIRIAU OLAF

Beethoven:

"Mi gaf glywed yn y nefoedd."

Brahms (ar ôl gorffen gwydraid o win):
"O – mi oedd hwnna'n neis. Diolch."

Chopin:

"Chwaraewch Mozart er cof amdana i."

Grieg:

"Wel, os mai felly mae hi i fod."

Haydn:

"Codwch eich calon – dwi'n iawn." (Doedd o ddim!)

Mahler:

"Mozart!"

Mendelssohn:

"Dwi wedi blino'n arw."

GOBAITH

Pan gynigiwyd swydd Prif Arweinydd Cerddorfa Symffoni Llundain iddo ym 1961, fe ofynnodd **Pierre Monteux**, ac yntau'n 86 oed ar y pryd, am gytundeb 25 mlynedd, gydag opsiwn ychwanegol o 25 mlynedd arall!

GONESTRWYDD

Roedd cyfansoddwr ifanc wedi dod â dau ddarn o gerddoriaeth i'w chwarae i **Rossini**, ac am gael gwybod pa un yn ei farn o oedd y gorau o'r ddau. Ar ôl perfformio'r darn cyntaf ar y piano, fe oedodd y gŵr ifanc am eiliad cyn symud ymlaen. Dyna pryd y dwedodd Rossini: "Na, mae'n iawn, does dim angen chwarae mwy – mae'n well gen i'r ail ddarn!"

GORCHYMYN

Y Brenin Siôr V:

"Nid yw Ei Fawrhydi yn gwybod beth oedd y darn y mae Seindorf Gwarchodlu'r Grenadiers newydd ei chwarae, ond nid yw byth i'w berfformio eto."

GORMODEDD

Stravinsky:

"Mae gormod o ddarnau cerddoriaeth yn dod i ben ar ôl y diwedd."

GRYM

Pablo Casals:

"Bydd cerddoriaeth yn achub y byd."

GWALLGOFRWYDD

Roedd **Schumann** wedi ofni ei fod yn wallgof ers tro, gan ei fod yn clywed lleisiau a cherddoriaeth ddychrynllyd yn ei ddychymyg. Yna, ym mis Chwefror 1854, fe ruthrodd allan o'i dŷ a lluchio'i hun i afon Rhine. Ar ôl cael ei achub fe ofynnodd am gael ei gloi i fyny ac fe dreuliodd ddwy flynedd olaf ei oes mewn gwallgofdy.

♫

Doedd pethau ddim yn argoeli'n dda i'r Ffrancwr **Louis Jullien** o'r cychwyn cyntaf, gan i'w dad, a oedd yn arweinydd band y pentref, ei enwi ar ôl holl aelodau'r band. Ei enw llawn felly oedd: Louis

George Maurice Adolphe Roch Albert Abel Antonio Alexandre Noé Jean Lucien Daniel Eugène Joseph-le-Brun Joseph-Barème Thomas Antoine Pierre-Maurel Barthelémi Arud Alphonse Bertram Dieudonné Emanuel Josué Vincent Luc Michel Jules-de-la-Plane Jules-Bazin Julio-Cesar Jullien.

Fel arweinydd ei hun fe ddaeth Jullien yn dipyn o ffigwr cwlt, ac roedd yn ei ystyried ei hun yn dipyn o gyfansoddwr yn ogystal. Un tro, fe benderfynodd osod geiriau Gweddi'r Arglwydd i gerddoriaeth. Pan geisiodd rhai o'i gyfoeswyr ei berswadio yn erbyn y syniad, gan bwysleisio mai miwsig dawns oedd ei arbenigedd o ac felly y byddai perygl na fyddai'r cyhoedd yn ei gymryd o ddifri, eglurodd Jullien na fyddai problem gan y byddai tudalen gyntaf y cyfansoddiad yn nodi'r ddau enw mwyaf yn holl hanes y byd:

GWEDDI'R ARGLWYDD

Geiriau gan Iesu Grist/Cerddoriaeth gan Jullien

Yn ystod ei berfformiadau cerddorfaol fe fyddai Jullien yn defnyddio baton a oedd bron ddwylath o hyd, a hwnnw'n cael ei gario i'r llwyfan iddo ar hambwrdd arian gan was mewn lifrai. Wrth ymyl y podiwm fe fyddai cadair esmwyth wedi'i gwneud o felfed gwyn ac aur, ac ar ddiwedd darn fe fyddai Jullien yn suddo iddi gan sychu ei dalcen yn ddramatig ac ymddangos fel pe bai ar fin llewygu. Byddai'r gynulleidfa yn mynd hyd yn oed yn fwy brwdfrydig bryd hynny gan guro'u dwylo a'u traed fwy nag erioed.

Un diwrnod, ac yntau'n eistedd wrth y piano yn ei gartref, fe gododd Jullien yn sydyn efo cyllell yn ei law, a dweud wrth ferch ifanc oedd ar ymweliad â'i dŷ ei fod wedi cael neges o'r nefoedd i'w lladd. Rhywfodd fe lwyddodd y ferch i ymresymu ag o a deud ei bod yn barod i farw ond y byddai'n hoffi clywed un neu ddau o'i gyfansoddiadau yn gyntaf. Wrth i Jullien baratoi i berfformio rhedodd y ferch allan o'r tŷ a galw am help. Dygwyd y cerddor at feddyg a chafodd ei roi mewn ysbyty, lle y bu farw, yn hollol wallgof, ar 14 Mawrth 1860.

Louis Jullien

♫

Oscar Levant:
"Llinell denau iawn sydd yna rhwng athrylith a gwallgofrwydd – dwi wedi dileu'r llinell."

GWENIAITH

Roedd **Haydn** yn ciniawa efo'r soprano Elizabeth Billington mewn ystafell lle roedd darlun o'r gantores (gan neb llai na Syr Joshua Reynolds) yn hongian ar y wal. Roedd y llun yn portreadu'r soprano yn gwrando ar angel yn canu. "Fel arall y dylai hi fod," meddai'r cyfansoddwr. "Yr angel ddylai fod yn gwrando arnoch chi" ac fe gafodd gusan fel gwobr.

Darlun Reynolds o Elizabeth Billington

GWEWYR

Ym 1855 collodd **Smetana** ei annwyl ferch Bedriska yn bedair oed. Pan fu farw plentyn arall naw mis yn ddiweddarach, ymdaflodd y cyfansoddwr i gyfansoddi'r Triawd Piano yn G leiaf – darn llawn tristwch ac anobaith, gyda nifer o frawddegau cerddorol yn dod i ben yn ddisymwth, a hynny fel petai'n adlewyrchu byrder bywyd y plant.

GWLEIDYDDIAETH

Artur Schnabel:

"Dwi ddim yn credu bod un darn o gerddoriaeth erioed wedi newid barn rhywun ynglŷn â sut i bleidleisio."

♫

Ym 1932 fe luniodd **Ervin Schulhoff** fersiwn cerddorol o'r Maniffesto Comiwnyddol ar ffurf cantawd i bedwar unawdydd, tri chôr a band pres.

GWRAGEDD

Roedd y pianydd Rwsiaidd **Anton Rubinstein** yn anfodlon iawn codi o'i wely yn y bore, a byddai hynny'n aml yn golygu ei fod yn colli apwyntiadau pwysig. Felly fe ddyfeisiodd ei wraig ffordd gyfrwys o setlo'r broblem, sef chwarae cord anghyflawn ar y piano. Byddai hyn yn corddi'r cerddor gymaint fel y byddai'n neidio allan o'i wely i gywiro'r sŵn amhersain. Yn y cyfamser byddai ei wraig yn tynnu'r dillad gwely i ffwrdd a'u cuddio.

♫

Roedd Cosima, merch y cyfansoddwr **Franz Liszt**, yn wraig i'r arweinydd enwog **Hans von Bülow**, a fu'n allweddol wrth berfformio operâu cynnar **Wagner**. Roedd von Bülow yn ystyried bod Wagner yn dduw, a phan gafodd Cosima berthynas efo Wagner a symud i mewn efo fo, unig sylw von Bülow oedd: "Unrhyw un arall ac mi fyddwn i wedi'i saethu o."

♫

Llysenw **Puccini** ar ei wraig Elvira oedd 'Y Plisman'. Roedd hi'n hynod genfigennus o unrhyw ferch a ddeuai'n agos at ei gŵr. Un tro fe ddefnyddiodd ymbarél i ymosod ar ferch ifanc oedd wedi dod i'r tŷ am wers ganu. Byddai'n rhoi *mothballs* ym mhocedi trowsus ei gŵr yn rheolaidd er mwyn i'r arogl gadw'r merched draw, ac os byddai Puccini yn debygol o fod yng nghwmni merched am beth amser, fel mewn rihyrsal opera, mi fyddai Elvira'n rhoi *bromide* yn ei goffi cyn iddo adael y tŷ.

♫

Ar ôl perfformiad cynta'r opera *Die Frau ohne Schatten* gan **Richard Strauss**, fe gyhoeddodd Pauline, gwraig y cyfansoddwr, yn uchel er mwyn i bawb gael clywed mai dyna'r sbwriel mwyaf oedd hi wedi'i glywed erioed – ac fe wrthododd gerdded adref wrth ochr ei gŵr.

♫

Enw llawn gwraig **Haydn** oedd Maria Anna Aloyisa Appollonia Keller ond fel 'y bwystfil uffernol' y byddai o'n cyfeirio ati. Yn ôl y sôn roedd hi'n hyll, yn gwerylgar, yn gas, yn genfigennus, yn dwp, yn gul, yn anffrwythlon, ac yn angherddorol. Roedd hi hefyd yn wraig tŷ anobeithiol, ac yn defnyddio papur llawysgrif cerddorol ei gŵr i gyrlio'i gwallt a leinio'i thuniau cacennau.

GWRTHODEDIG

Roedd **Franz Liszt** yn cael ei ystyried yn bianydd mwyaf i gyfnod, ac yn creu cymaint o argraff fel bod merched yn llewygu yn ystod ei berfformiadau. Ond, yn ddiweddarach yn ei yrfa, roedd â'i fryd ar fod yn offeiriad eglwysig. Wrth baratoi ar gyfer ei dderbyn yn Rhufain fe ofynnodd y lleianod iddo un diwrnod i chwarae'r piano ar ôl y gwasanaeth yng Nghapel y Sistine. Ar ôl ei berfformiad fe ruthrodd y lleianod at Liszt a'i gofleidio a'i gusanu. Yn ôl y sôn, pan glywodd y Pab Pius IX am y digwyddiad fe benderfynodd na fyddai'r cerddor yn bresenoldeb doeth ymysg y glerigaeth.

GWYLEIDD-DRA

Pan wahoddwyd **Brahms** i ginio gan fasnachwr gwin fe agorwyd potel nodedig iawn o'r seler. "Mae'r Riesling yma," meddai'r lletywr wrth yr holl westeion oedd yn bresennol, "fel Brahms byd y gwinoedd."

Wrth edrych ar ei wydraid, ei arogli'n fanwl, ac yna ei flasu, fe gymerodd Brahms gryn dipyn o amser i ymateb. O'r diwedd, meddai: "Eithaf da, ond oni fyddai'n well i ni agor potel o Johann Sebastian Bach?"

♪

Pan oedd myfyrwraig ifanc ar ymweliad ag amgueddfa man geni **Beethoven** yn Bonn, roedd hi wrth ei bodd efo'r piano Broadwood oedd yno – yr un y bu i'r cyfansoddwr greu rhai o'i gampweithiau arni. Ar fympwy gofynnodd i un o'r ceidwaid allai hi chwarae ychydig nodau ar y piano er mwyn cael dweud ei bod wedi cyffwrdd â'r union nodau y bu i Beethoven eu cyffwrdd. Cytunodd hwnnw ac eisteddodd y ferch i lawr a chwarae rhan agoriadol Sonata'r Lloergan, y *Moonlight Sonata* enwog. Ar ei ffordd allan, ac wrth ddiolch i'r ceidwad, gofynnodd y fyfyrwraig a oedd llawer o bianyddion enwog wedi bod yno yn chwarae'r piano. "Wel," meddai yntau, "fe fu Paderewski yma unwaith, ond doedd o ddim yn teimlo'i hun yn deilwng i chwarae'r offeryn."

♪

Wrth gyrraedd maes awyr mewn awyren fe sylwodd **Kathleen Ferrier** fod criw o bobol islaw yn edrych fel pe baen nhw yno i groesawu rhywun pwysig. "Tybed pwy?" meddai wrth ei chydymaith. "Rhyw wleidydd neu ddiwydiannwr, siŵr o fod." Ar ôl glanio fe gafodd y gantores ei synnu wrth weld mai ar ei chyfer hi yr oedd y pwyllgor croeso wedi'i drefnu.

GWYRTH

Pan ymddangosodd **Haydn** i arwain un o'i symffonïau mewn cyngerdd yn Llundain un tro, fe symudodd nifer helaeth o'r gynulleidfa ymlaen o'u seddau i gael gwell golwg ar y cerddor enwog. Yn union wedyn fe syrthiodd *chandelier* enfawr o do'r neuadd gan dorri'n ddarnau dros y seddau gweigion. Yn rhyfeddol, ni chafodd neb niwed ac yn ôl y sôn fe waeddodd rhai "Gwyrth! Gwyrth!" ar ôl bod yn dystion i'r digwyddiad rhyfedd. Am ryw reswm, y symffoni sydd bellach yn dwyn yr is-deitl 'Miracle' ydy Symffoni Rhif 96 a berfformiwyd ym 1791, er ei bod yn ymddangos mai adeg perfformio Symffoni Rhif 102 ym 1795 y digwyddodd y 'wyrth'.

H

HEDDWCH

Un haf roedd **Verdi** wedi rhentu tŷ sylweddol ar gyfer ei wyliau yn un o ardaloedd prydfertha'r Eidal. Pan ddaeth ffrind i ymweld fe synnodd hwnnw ddarganfod nad oedd y cyfansoddwr ond yn defnyddio un ystafell fechan. Ar ôl gofyn pam, dangosodd Verdi yr ystafelloedd eraill – i gyd yn llawn o organau baril (95 i gyd).

"Roedden nhw i gyd yn chwarae alawon fy operâu ar hyd y strydoedd – *Rigoletto, Il Trovatore* – a'r lleill i gyd," eglurodd Verdi, "felly mi wnes i eu hurio nhw i gyd oddi wrth eu perchnogion er mwyn cael tipyn o heddwch."

HENAINT

Pan oedd **Pablo Casals** yn ei wythdegau fe ofynnodd i un o'i ddisgyblion cello, Marta Montanez, hithau yn ei dauddegau, ei briodi. Fe gytunodd hithau. Ar ddiwrnod y briodas fe ddaeth meddyg Casals ato gan ddatgan ei bryderon am ei iechyd a'i rybuddio i fod yn ofalus iawn y noson honno.

"Dwi'n mynd i fwynhau fy hun heno," atebodd Casals, "ac os ydi'r ferch yn marw, wel mae hi'n marw."

♫

Pablo Casals:

"Ymddeoliad yw dechrau marwolaeth."

HIWMOR

Pan ddarganfu merch ifanc o ogledd Cymru ei bod yn feichiog a bod ei chariad wedi dianc, aeth i Lundain i chwilio am rywun a fyddai'n fodlon cyflawni erthyliad. Wrth weld plac y tu allan i dŷ efo'r geiriau 'Dr Ralph Vaughan Williams' arno, penderfynodd y byddai hwn yn ddelfrydol gan fod y meddyg yn amlwg yn Gymro. Ar ôl cael mynediad fe eglurodd yr ysgrifenyddes na allai'r Doctor ei gweld y funud honno. *"You see,"* meddai, *"he's orchestrating the 'Men of Harlech'."*

"Ah," atebodd y Gymraes, *"so he should be, so he should be."*

HUNAN-BARCH

Wrth deithio gyda'i deulu yn hwyr un noson fe alwodd **Pierre Monteux** mewn gwesty a gofyn a oedd ystafell ar gael. Ymddiheurodd y ferch yn y dderbynfa gan egluro nad oedd, ond pan oedd yr arweinydd enwog ar ei ffordd allan i'w gar roedd rhywun yn amlwg wedi hysbysu'r ferch pwy oedd hi wedi'i wrthod, oherwydd fe redodd ar ôl yr arweinydd gan ddweud: "Mae'n ddrwg gen i, syr, mae ystafell ar gael. Doeddwn i ddim wedi sylweddoli eich bod chi yn 'rhywun'. "

"Madame," meddai Monteux, "mae pawb yn rhywun. Nos da."

HYDER

Cyrhaeddodd y tenor enwog **Jussi Björling** neuadd gyngerdd efo'i gyfeilydd Ivor Newton a mynegi ei siom fod y posteri'r tu allan yn cyfeirio ato fel 'Tenor Gorau'r Byd'.

"Ond ti yw tenor gorau'r byd," meddai Newton.

"Na, na, mae llawer o rai eraill yn haeddu'r teitl yn fwy na mi," aebodd Björling.

"Fel pwy?" gofynnodd y cyfeilydd.

"Wel, Gigli er enghraifft – er, wrth gwrs, mae o'n tynnu 'mlaen erbyn hyn. Tito Schipa efallai, ond wrth gwrs dydy o ddim yn canu Lieder..." Ac felly yr aeth y tenor ymlaen i enwi pob un o'i gyddenoriaid gan nodi rhyw wendid ym mhob un.

Yn y diwedd, meddai Björling: "Wyddost ti be? Efallai eu bod nhw'n iawn – efallai mai fi **ydy** tenor gorau'r byd!"

HYFDRA

Gwraig yn rhes flaen y gynulleidfa yn Nhŷ Opera'r Metropolitan yn Efrog Newydd yn pwyso ymlaen a galw'r arweinydd: "Allech chi berfformio'r drydedd act cyn yr ail act heno, os gwelwch chi'n dda? Chi'n gweld, mae'n rhaid i'm ffrind a minnau ddal trên, ac rydan ni'n awyddus i wybod be sy'n digwydd ar ddiwedd yr opera."

HYSBYSEBU

Pan fu farw'r gwneuthurwr piano Ludwig Bösendorfer ym 1919, roedd o wedi gadael cyfarwyddiadau pendant ynglŷn â'r modd yr oedd ei arch i gael ei chludo i'r fynwent – nid mewn hers, ond yn un o faniau cario pianos y cwmni, efo'r llythrennau bras BÖSENDORFER arni.

I

IAITH

John Erskine:

"Miwsig ydi'r unig iaith lle na ellir mynegi unrhyw beth gwael na sarhaus ynddi."

IECHYD

Roedd **Rossini** yn cerdded ar hyd y *boulevards* yng nghwmni cyfaill pan welodd Meyerbeer yn dod i'w cyfeiriad. Ar ôl cyfarch ei gilydd yn gwrtais mae Meyerbeer yn holi ynghylch iechyd Rossini.

"O, sigledig," meddai yntau, "sigledig iawn. Diffyg treuliad – a 'mhen i. Mae gen i ofn fy mod i'n gwaethygu'n gyflym."

Ar ôl symud ymlaen mae'r cyfaill yn gofyn i Rossini sut ar y ddaear y gallai ddweud yr holl gelwydd ac yntau'n mwynhau iechyd perffaith.

"Wel," meddai yntau, "pam na ddylwn i? Ti'n gweld, mae o'n rhoi cymaint o bleser i Meyerbeer i feddwl 'mod i'n wael."

♪

Roedd gan **Meyerbeer** obsesiwn am gynnal ymarferion diddiwedd o'i operâu ac roedd yn anfodlon iawn caniatáu perfformiadau o'i gerddoriaeth heb rihyrsals trylwyr. Un diwrnod daeth ar draws **Rossini** gan gwyno'n enbyd.

"A pha aflwydd sydd arnat ti heddiw?" gofynnodd Rossini.

"O maestro," meddai yntau, "rydw i mor wael – yn boenau drosta i i gyd."

Roedd Rossini'n gwybod bod Meyerbeer newydd ddod yn syth o un o'i ymarferion, felly meddai: "Mi ddweda i beth sy'n bod arnat ti – ti'n clywed gormod o'th gerddoriaeth di dy hun."

L

LWC

Roedd y soprano **Marjorie Lawrence** yn hynod ofergoelus, ac yn mynnu bod rhywun yn rhoi ceiniog iddi fel arwydd o lwc dda cyn pob perfformiad. Un noson, bu raid i gyngerdd yn Covent Garden ddechrau'n hwyr oherwydd nad oedd gan neb gefn llwyfan bisyn ceiniog i'w roi iddi. Yn y diwedd bu raid i rywun redeg i'r swyddfa docynnau i fenthyg un cyn bod y gantores yn cytuno i berfformio.

LL

LLINYNNAU

Pablo Casals:

"Mae'r cello fel merch brydferth sydd, yn hytrach na heneiddio, yn mynd yn iau gyda threigl amser, yn fwy ystwyth, yn fwy gosgeiddig."

♪

Am ryw reswm mae chwaraewyr **fiola** yn cael eu hystyried yn bobl israddol. Ymhlith offerynwyr yn gyffredinol ac ymysg chwaraewyr llinynnol yn benodol, nhw yw gwehilion cymdeithas. Yn yr un modd ag yr oedd llawer o jôcs Gwyddelig yn cael eu dweud ar un adeg, mae'r targed bellach wedi symud at y garfan anffodus hon o'r byd cerddorol.

Dyma rai:

"Mami, Mami," meddai Tomi pan redodd adre o'r ysgol un diwrnod, "mi wnes i adrodd yr wyddor yr holl ffordd drwodd heddiw. Dim ond at y llythyren G oedd y plant eraill yn gallu mynd."

"Da iawn, Tomi," meddai'r fam, "y rheswm am hynny ydy dy fod ti'n chwarae'r fiola."

Y diwrnod wedyn roedd Tomi yr un mor hapus eto. "Mami, Mami, y fi oedd yr unig un oedd yn gallu cyfri i 50 heddiw. Dim ond at 10 oedd y plant eraill yn gallu gwneud."

"Da iawn ti," meddai'r fam, "cofia mai oherwydd dy fod ti'n chwarae'r fiola mae hynny."

Y diwrnod canlynol roedd Tomi ar ben ei ddigon. "Mami, Mami, y fi ydi'r talaf yn ein dosbarth ni. Ai oherwydd 'mod i'n chwarae'r fiola mae hynny?"

"Na," meddai'r fam, "oherwydd dy fod ti'n 26 oed."

♪

Beth yw'r gwahaniaeth rhwng chwaraewyr fiola a therfysgwyr?
Mae rhai pobl yn cydymdeimlo â therfysgwyr.

Sut mae sicrhau na wnaiff eich ffidil gael ei dwyn?
Rhowch hi mewn cas fiola.

Fiola

Chwaraewr fiola'n cael llond bol ar yr holl beth – neb yn ei werthfawrogi, yr holl jôcs gwirion yna. Felly mae'n penderfynu newid offeryn. Mae'n mynd i mewn i siop ac yn dweud ei fod am brynu ffidil.

"Chwaraewr fiola ydach chi, yntê?" medd y siopwr.

"Sut ydach chi'n gwbod?"

"Oherwydd mai siop *chips* ydy hon."

♫

Beth yw'r gwahaniaeth rhwng arch a chas fiola?
Efo'r arch, mae'r person marw oddi mewn.

Beth yw'r gwahaniaeth rhwng fiola a nionyn?
Does neb yn crio wrth dorri fiola.

♫

Digrifwr ar awyren yn dechrau siarad efo'r person yn y sedd nesaf.

"Mae gen i jôc fiola anhygoel i'w dweud wrthach chi."

"Wel, dwi'n credu y dylech chi wybod mai chwaraewr fiola ydw i," meddai'r cydymaith yn sur.

"Mae'n olreit," meddai'r llall, "mi wna i 'i deud hi'n wirioneddol araf wrthach chi."

♫

Pam bod chwaraewyr fiola'n sefyll y tu allan i dai pobol?
Dydyn nhw byth yn gwybod pryd i ddod i mewn.

Pam bod clustiau chwaraewyr fiola mor werthfawr i lawfeddygon sy'n trawsblannu organau?
Dydyn nhw erioed wedi cael eu defnyddio.

LLOFRUDDIAETH

Ym 1586 fe briododd **Y Tywysog Carlo Gesualdo**, cyfansoddwr o'r Eidal, ei gyfnither Donna Maria, ond ymhen dwy flynedd roedd hi'n cael perthynas efo Dug Fabrizio Carafa. Pan ddaeth Gesualdo i wybod am y peth fe gymerodd arno ei fod yn mynd i ffwrdd ar daith hela hir un diwrnod, ond mewn gwirionedd roedd yn cynllwynio i ddychwelyd i'w balas yr un noson. Pan ddaliodd ei wraig a'i chariad yn y gwely gyda'i gilydd fe laddodd y ddau ohonyn nhw yn y fan a'r lle.

♫

Roedd gŵr bonheddig o Fenis yn awyddus i'w ddyweddi brydferth, Ortensia, gael gwersi canu ac felly fe gyflogodd un o gerddorion gorau'r ddinas, **Alessandro Stradella.** Ymhen ychydig roedd yr athro a'r disgybl yn mwynhau mwy na nodau cerdd efo'i gilydd ac fe redodd y ddau i ffwrdd i fyw yn Naples, ac wedyn yn Rhufain. Yn naturiol doedd y bonheddwr ddim yn hapus iawn ac fe huriodd ddau lofrudd i'w dilyn, gyda gorchymyn i ladd Stradella. Daethant i wybod bod y cerddor yn canu mewn eglwys lle roedd oratorio o'i waith ei hun yn cael ei pherfformio un noson, ac fe aeth y ddau lofrudd yno gyda'r bwriad o gyflawni'r gorchwyl yn syth wedi'r perfformiad. Ond, roedd y miwsig mor hyfryd nes i'r ddau ddihiryn gael eu swyno'n gyfan gwbl ac fe aethant at Stradella ar y diwedd, dadlennu'r cynllwyn a'i annog i ddianc.

Stori neis? Yn sicr, ac un wir. Ond yn anffodus, nid dyna'r diwedd. Wedi'r methiant yna fe gyflogodd y bonheddwr ddau lofrudd arall, y tro yma rhai heb glust gerddorol, ac fe gyflawnon nhw'r weithred yn hollol lwyddiannus!

Alessandro Stradella

♬

Yn hytrach na'r stori annhebygol iawn am **Mozart** yn cael ei lofruddio gan y cyfansoddwr Eidalaidd **Antonio Salieri**, fel yr adroddir hi yn y ffilm *Amadeus,* mae yna bosibilrwydd cryf mai rhywun arall a'i llofruddiodd. Y gred yw fod Mozart yn cael perthynas efo un o'i fyfyrwyr, Magdalena Hofdemel, 23 oed, a oedd yn briod ag un o gyfeillion y cyfansoddwr, Franz Hofdemel. Yn sicr, ar fore angladd Mozart fe ymosododd Franz ar Magdalena gyda chyllell, gan niweidio'i phen, ei breichiau a'i gwddf yn ddrwg iawn. Yna fe laddodd ei hun drwy dorri ei wddf. Yn wyrthiol, bu Magdalena, a oedd yn feichiog ar y pryd, fyw ar waetha'r ymosodiad, a phan anwyd y plentyn fe'i henwodd yn Johann von

Nepomuk Alexander Franz, hynny yw, cafodd ei enwi ar ôl ei gŵr a Mozart. Bu hyn yn gyfrifol am sibrydion fod Mozart wedi cael ei wenwyno gan Hofdemel oherwydd bod ei wraig yn cario plentyn y cyfansoddwr, a'i fod yntau wedyn wedi penderfynu ei lladd hithau cyn cyflawni hunanladdiad.

LLWYDDIANT

Bizet:
"I fod yn llwyddiannus heddiw rhaid i chi fod un ai wedi marw neu yn Almaenwr."

M

MAINT

Roedd y soprano Ffrengig **Lily Pons** yn eithaf bychan o gorffolaeth a phan gyhoeddwyd yn y wasg y byddai'n cymryd y brif ran yn yr opera *Carmen*, fe ddywedodd adolygydd cerdd papur newydd y *Boston Transcript:* "Diolch i Dduw! O'r diwedd fe fydd gennym ni Carmen sy'n pwyso llai na'r tarw!"

Lily Pons

MANTEISIO

Er mwyn cynyddu ei siawns o gyfarfod â merched addas fe ffurfiodd **Brahms** gôr merched yn Hamburg. Fe wnaeth yn union yr un peth ar ôl symud i Fienna, ac yno fe ofynnodd i un o'r aelodau ei briodi. Yn anffodus roedd hi newydd ddyweddïo efo meddyg.

MARWOLAETH

Franz Liszt:

"Beth yw bywyd ond cyfres o breliwdiau i'r gân anhysbys honno lle mae'r nodyn dwys cyntaf yn seinio marwolaeth?"

♫

Y digrifwr Ffrengig, Léonce, yn curo ar ddrws **Offenbach**, a'r *concierge* yn ei hysbysu bod y cyfansoddwr wedi marw yn ystod y nos, yn dawel yn ei gwsg heb wybod dim.

"O diar," meddai Léonce yn ddifrifol, "mi fydd o'n reit grac felly pan wnaiff o ffeindio allan."

♫

Doedd y Frenhines Victoria ddim yn hoff iawn o gerddoriaeth **Handel**. Yn ei hewyllys fe roddodd orchymyn pendant nad oedd yr Ymdeithgan Angladdol o'r oratorio *Saul* i'w pherfformio yn ei hangladd ar unrhyw gyfri.

♫

Ym 1805, cyhoeddodd papurau newydd Paris yn ddifrifol fod **Haydn** wedi marw, a chyn hir roedd y newyddion wedi lledaenu dros Ewrop. Anfonwyd miloedd o lythyrau cydymdeimlad yn ogystal â blodau, fe gyfansoddwyd darnau o gerddoriaeth er cof amdano ac fe drefnwyd perfformiad arbennig o *Requiem* Mozart mewn cyngerdd coffa. Ond, er ei fod yn 73 oed ac yn fethedig, roedd Haydn yn dal yn fyw, a phan glywodd am y cynlluniau i gynnal cyngerdd coffa iddo fe gynigiodd fynd draw i'w arwain ei hun!

♫

Roedd tua 20,000 o alarwyr yn bresennol yn angladd **Beethoven**, ac roedd **Schubert** yn eu mysg. Wedi'r seremoni, aeth o a chriw o'i ffrindiau i dafarn leol, lle cododd Schubert ei wydr i gynnig y llwncdestun cyntaf: "I'r hwn yr ydym newydd ei gladdu," meddai. Wrth godi ei wydr yr eildro dywedodd: "I bwy bynnag ohonom fydd yn mynd nesaf!" Ugain mis yn ddiweddarach roedd Schubert yn farw – yn ddim ond 31 mlwydd oed.

♫

Bu farw'r cyfansoddwr blaengar o Awstria **Alban Berg** ar ôl cael ei bigo gan haid o wenyn meirch.

Roedd diwedd ei gydoeswr a'i gyd-aelod o Ail Ysgol Fienna o gyfansoddwyr, **Anton Webern**, hyd yn oed yn fwy dramatig – cafodd ef ei saethu ar gam gan sowldiwr Americanaidd ar ddiwedd yr Ail Ryfel Byd pan aeth i smocio y tu allan i gartref ei ferch yn Awstria.

♫

Yn ôl **Haydn**, fe lewygodd offeiriad eglwysig, a bu farw yn dilyn perfformiad o'i Symffoni Rhif 75 – a hynny oherwydd bod y person wedi clywed yr union fiwsig mewn breuddwyd y noson cynt.

♫

Yn y cyfnod cyn dyfeisio'r baton, roedd arweinyddion yn defnyddio pob math o ffyrdd i geisio cael chwaraewyr cerddorfa i gydsymud yn weddol daclus. Arferiad y Ffrancwr **Jean-Baptiste Lully** oedd curo'r llawr yn galed gyda ffon hir â blaen arian iddi. Un tro, yn lle taro'r llawr, aeth y blaen miniog i mewn i fawd ei droed ac achosi dolur drwg. O fewn ychydig wythnosau roedd Lully druan yn ei fedd.

Jean-Baptiste Lully

♪

Yn hytrach na chreu darlun rhy amrwd, mae nifer o lyfrau hanes cerdd yn cyfeirio at farwolaeth **Janáček** fel un drist 'ym mreichiau ei anwylyd'. Mewn gwirionedd, roedd y cyfansoddwr yn 74 oed a'i 'anwylyd' ddeugain mlynedd yn iau na hynny! O ystyried bod y ddau yn y gwely ar y pryd, tybed ai gorymdrech oedd achos ei farwolaeth?

♪

Pan fu farw'r Frenhines Mary II ym 1694 fe gomisiynwyd **Henry Purcell** i gyfansoddi cerddoriaeth angladdol addas. Cyn hir roedd y gerddoriaeth yn cael ei pherfformio eto, yn angladd Purcell ei hun, ac yntau ond yn 36 oed. Yn ôl rhai, y rheswm dros ei farw cynnar oedd iddo ddod adref yn hwyr o'r dafarn un noson a darganfod bod ei wraig wedi'i gloi allan o'r tŷ, ac yntau'n gorfod aros allan drwy'r nos yn yr oerfel.

Damcaniaeth arall ydy ei fod wedi cael ei wenwyno ar ôl bwyta siocled, ond mwy na thebyg y gwir reswm oedd y ddarfodedigaeth.

♪

Bu farw'r pianydd a'r cyfansoddwr Americanaidd **Louis Moreau Gottschalk** wrth y piano yn Rio de Janeiro wrth ymarfer un o'i ddarnau piano. Teitl y darn oedd 'Morte' (Angau).

MERCHED

Mae cryn drafod wedi bod – ac yn dal i ddigwydd – ynglŷn â ddylai merched fod yn arweinyddion. Roedd gan y cyfansoddwr croenddu **Samuel Coleridge-Taylor** (Sais o dras Affricanaidd) ferch o'r enw Gwendolen a ddilynodd ôl traed ei thad, fel arweinyddes cerddorfa yn bennaf. Un tro, mewn theatr yn Llundain, yn y cyfnod pan arferai'r perfformwyr fod yn guddiedig y tu ôl i'r llenni cyn dechrau'r cyngerdd, fe gododd Miss Coleridge-Taylor ei baton i gychwyn y miwsig ac ar yr un pryd fe gydiodd y llenni yng ngwaelod ei ffrog laes a'i chodi'n araf nes ei bod dros ei phen yn llwyr.

♪

Roedd **Syr Arthur Sullivan** (partner W S Gilbert) yn hoff iawn o ferched, er na fu'n briod erioed. Gyda Rachel Scott Russell y cafodd ei berthynas ddwys gyntaf. Doedd ei rhieni cefnog ddim yn hapus fod eu merch yn gysylltiedig â cherddor di-nod, ac fe wrthodon nhw i'r ddau gyfarfod. Yn y dirgel felly y parhaodd y berthynas, oedd hyd yn oed yn fwy cymhleth oherwydd bod Sullivan hefyd yn gweld chwaer Rachel, Louise, yr un pryd! Mae rhyw 200 o lythyrau'r ddwy chwaer at y cyfansoddwr wedi goroesi, rhai ohonyn nhw wedi'u cofnodi yn y gyfrol *Sullivan and the Scott Russells* gan John Wolfson.

MESEIA

Faint o wirionedd, tybed, sydd yn yr honiad fod **Handel** wedi cael ysbrydoliaeth i gyfansoddi'r 'Hallelujah Chorus' yn y *Meseia* ar ôl gwrando ar Daniel Rowland yn pregethu yn Llangeitho? Yn ôl y sôn, roedd **Handel** yn ymwelydd cyson â theulu o uchelwyr a oedd yn byw yn yr Hafod, Cwmystwyth, yn yr union gyfnod hwnnw.

MIAW

Prima donna adnabyddus yn cyrraedd gwesty lle roedd hi'n gwybod bod soprano enwog arall yn aros. Wrth i'r porthor gario'i bagiau ar hyd y coridor, mae sŵn llais y soprano i'w glywed yn ymarfer yn ei hystafell. Wrth basio'r drws, meddai'r *prima donna* wrth y porthor: "Dwedwch i mi, ydach chi'n cael llawer o gathod yn dod i aros yn y gwesty yma?"

MOESYMGRYMU

Bob tro y byddai **Birgit Nilsson** yn dychwelyd i berfformio yn Nhŷ Opera'r Metropolitan byddai'r rheolwr, Rudolf Bing, yn mynd i lawr ar ei liniau o'i blaen. Ond y tro cyntaf i'r gantores ddod yn ôl i'r Met ar ôl i Bing gael ei anrhydeddu'n farchog, ac yntau yn ôl ei arfer yn disgyn i'r llawr o'i blaen, meddai Nilsson: "Rwyt ti'n gwneud hynna'n llawer gwell ar ôl i ti ymarfer efo'r Frenhines."

MWYNHAD

Yn ystod perfformiad o un o symffonïau Beethoven mewn cyngerdd un noson roedd **Berlioz** o dan gymaint o deimlad nes iddo wylo'n afreolus drwy'r cyfan. Roedd y person oedd yn eistedd wrth ei ochr yn poeni tipyn ynghylch hyn ac felly fe awgrymodd y dylai Berlioz fynd allan am ychydig nes iddo ddod ato'i hun. Roedd ymateb y cerddor yn chwyrn: "Rhag eich cywilydd chi, syr – ydach chi'n meddwl fy mod i wedi dod yma i fwynhau fy hun?"

N

NADOLIG

Roedd gan **Puccini** ddull syml a didrafferth iawn o brynu anrhegion Nadolig, sef mynd â rhestr o enwau a chyfeiriadau ei gyfeillion i'r siop gacennau leol a chael y siop i anfon *pannetone* (cacen ffrwythau Eidalaidd) i bob un ohonynt. Gan ei fod byth a beunydd yn ffraeo efo'r arweinydd Toscanini ac yna'n ffrindiau bob yn ail, roedd Puccini wedi anghofio tynnu enw Toscanini oddi ar y rhestr un Nadolig, felly fe anfonodd deligram ato: "Anfonwyd y *pannetone* ar ddamwain."

Daeth yr ateb yn fuan: "Bwytawyd y *pannetone* ar ddamwain."

Puccini a Toscanini

NERFAU

Fe gytunodd **Saint-Saëns** i wrando ar gantores amatur un tro, gwraig oedd yn dipyn o foneddiges. Cyn cychwyn fe gyhoeddodd hi ei bod yn mynd i ganu un o ganeuon Saint-Saëns ei hun, ac fe gyfaddefodd wrtho ei bod yn crynu gan nerfusrwydd.

"Ddim hanner mor nerfus â mi," meddai yntau.

♫

Roedd y pianydd/cyfansoddwr **Adolphe Henselt** mor nerfus fel y byddai'n cuddio yng nghefn y llwyfan tra byddai'r gerddorfa'n chwarae rhagymadrodd consierto, yna'n rhuthro ymlaen i'r llwyfan ar y funud olaf i chwarae'r unawd. Un tro, fe anghofiodd am y sigâr roedd o'n ei smocio yn y cefn ac fe fu'n rhaid iddo ei dal yn ei geg trwy gydol y Symudiad Cyntaf.

NERO

Roedd hi'n amhosib i Nero fod wedi chwarae'r ffidil wrth wylio Rhufain yn llosgi, am y rheswm syml nad oedd y ffidil wedi cael ei dyfeisio hyd y 16eg ganrif. Yr offeryn mwyaf tebygol iddo berfformio arno oedd math o liwt o'r enw *fidicula*. Ymysg yr offerynnau eraill roedd yr ymherawdr yn hoff o'u chwarae – ond heb fawr o lwyddiant, yn ôl yr hanes – roedd y ffliwt, yr organ a'r bagbib. Roedd o hefyd yn ystyried ei hun yn dipyn o ganwr.

Nero

O

ODRWYDD

Dim ond llefrith geifr yr oedd o ei hun wedi eu magu fyddai **Artur Rodzinski** yn ei yfed. Ffaith arall amdano oedd ei fod yn cario gwn ym mhoced gefn ei drowsus bob tro y byddai'n arwain cerddorfa.

♫

Ychydig ddyddiau cyn perfformio mewn neuadd gyngerdd yn Philadelphia, yn yr Unol Daleithiau, ym 1846 fe gyhoeddodd y pianydd **Henri Herz** mai'r unig ffordd y gallai fynd i mewn i'r awyrgylch priodol ar gyfer ei ddatganiad fyddai cael y lle wedi'i oleuo gyda mil o ganhwyllau. Pan ledaenwyd y stori am hyn, fe werthwyd pob tocyn o fewn diwrnod. Roedd y neuadd yn edrych yn ardderchog, ond ar ddiwedd y perfformiad o'r darn cyntaf, fe gododd aelod o'r gynulleidfa ar ei draed a chwyno wrth y pianydd mai dim ond 992 o ganhwyllau oedd yno!

♫

Fe gafodd **Percy Grainger** gynnig bod yn arweinydd cynorthwyol i Syr Thomas Beecham un tro ond fe wrthododd – oherwydd nad oedd gan Beecham lygaid glas!

OFERGOELEDD

Fe fyddai **Caruso** yn gwrthod teithio ar ddydd Gwener, ac yn rhoi darn arian ym mhoced dde trowsus unrhyw siwt newydd roedd o'n ei gwisgo. Er ei fod o'n smocio oddeutu 60 o sigaréts bob dydd roedd o'n grediniol y gallai gadw'n iach trwy wisgo pysgodyn bach wedi sychu yn hongian oddi ar gadwyn o amgylch ei wddf. Gyda llaw, fe fu farw yn 48 oed.

OFFERYNNAU

Hysbyseb yn y *Glasgow Herald*: "*Bagpipes, used only once. For sale, owing to bereavement.*"

♫

Andrés Segovia:

"Y gitâr ydi'r offeryn mae dyn yn ei chwarae pan mae o am agor ei galon i ferch. Os ydy o wedi bod yn anffyddlon mae dyn yn chwarae cello i'w ffrind. Os ydi'r ffrind ymhlyg yn yr anffyddlondeb yna mae'r dyn yn chwarae'r organ er mwyn mynegi ei alar wrth Dduw."

OFFERYNWYR

Roedd y digrifwr **Jack Benny** yn arfer chwarae'r ffidil fel rhan o'i berfformiad. Sylw ei gydoeswr **Fred Allen** oedd: "Mae o'n swnio fel bod y perfedd yn dal i fod yn y gath."

♫

Barn **Syr Thomas Beecham** am delynorion oedd eu bod nhw'n treulio hanner eu hamser yn tiwnio a'r hanner arall yn chwarae allan o diwn!

♫

Mewn parti crand lle roedd chwaraewr ffidil yn creu'r gerddoriaeth yn y cefndir fe ddaeth y wraig oedd wedi trefnu'r achlysur at **George Bernard Shaw** a gofyn ei farn am yr unawdydd. "Mae o'n f'atgoffa i o **Paderewski**," oedd yr ateb.

"Ond dydy Paderewski ddim yn feiolinydd," meddai'r wraig.

"Dydy hwn ddim chwaith," meddai Shaw.

♫

Cyfansoddwr cyfoes yn ymarfer un o'i weithiau modern, anodd ei hun gyda cherddorfa ac yn anhapus efo'r ffordd yr oedd y chwaraewr clarinét yn dehongli un cymal.

"Na, na, na," meddai'n flin, "nid fel 'na, fel hyn..." A dechreuodd ganu: "La la... la la la... la la."

"O," meddai'r clarinetydd, hefyd gan ganu. "Ydych chi'n golygu: La la... la la la... la la?"

"Wrth gwrs, ardderchog," meddai'r arweinydd yn wên o glust i glust.

"Iawn," meddai'r clarinetydd, "rŵan ein bod ni wedi sefydlu ein bod ni'n dau'n gallu ei ganu o, pwy sy'n mynd i'w chwarae fo?"

♬

Gwraig ffyslyd yn cyfarch **Paderewski**, y pianydd enwog o Wlad Pŵyl, un tro wrth iddo gyrraedd neuadd gyngerdd ac yntau heb fawr o awydd perfformio.

"O, Mr Paderewski," cwynodd, "mae'r neuadd yn llawn a does dim un sedd ar ôl i mi."

"Madam," meddai yntau, "cymerwch f'un i."

Ignaz Paderewski

♬

Roedd gan chwaraewr cello enwog o'r enw Bob Lindley atal dweud ofnadwy, ac un diwrnod roedd o a chyfaill yn pasio heibio siop yn Wardour Street, Soho, lle roedd parot ar werth.

"F-f-f-edar o si-si-si-arad?" gofynnodd Lindley i'r siopwr.

"Medar," oedd yr ateb, "yn llawer gwell na ti, neu mi fyddwn i wedi'i dagu o."

♪

Un tro fe gafodd **Enesco**, y chwaraewr ffidil enwog, ei berswadio i gymryd mab i gyfaill yn ddisgybl, ar waetha'r ffaith nad oedd gronyn o dalent gerddorol yn perthyn i'r plentyn. Ymhen peth amser, roedd hi'n bryd i'r disgybl berfformio'n gyhoeddus ac, yn anfoddog, fe gytunodd Enesco i gyfeilio iddo ar y piano. Ar y funud olaf fe sylweddolodd Enesco y byddai angen rhywun arno i droi'r tudalennau ac fe ofynnodd i'w gyfaill, y pianydd enwog Alfred Cortot, a oedd yn digwydd bod yn y gynulleidfa, i wneud hynny.

Fore trannoeth, fe ymddangosodd adolygiad yn y papur lleol: "Fe gafwyd datganiad rhyfedd iawn neithiwr yn y Salle Gaveau. Y dyn oedd yn troi'r tudalennau ddylai fod wedi chwarae'r piano. Yr un oedd yn cyfeilio ddylai fod wedi chwarae'r ffidil. A'r feiolinydd oedd yr un ddylai fod wedi troi'r tudalennau..."

OPERA

Mae'n debyg i'r Frenhines Elizabeth II, ar ôl cael gwahoddiad i berfformiad o'r opera *Priodas Figaro* yn Covent Garden, anfon nodyn yn ôl yn gwrthod yn gwrtais gan egluro ei bod hi eisoes wedi gweld yr opera honno o'r blaen.

♪

Pan oedd **Verdi**'n cwblhau ei opera *Il Trovatore*, fe alwodd un o brif feirniad cerdd y genedl – *critic* go iawn – arno yn ei dŷ.

"Be wyt ti'n feddwl o hwn?" meddai'r cyfansoddwr gan chwarae 'Cytgan yr Einion' iddo ar y piano.

"Sbwriel," meddai'r beirniad, gan egluro mai dim ond y pethau gorau roedd o'n eu gwerthfawrogi.

"A beth am hwn?" gofynnodd Verdi gan berfformio'r 'Miserere'.

"Am nonsens," meddai'r *critic*, yn ddig bod ei glustiau wedi'u sarhau.

"Un arall," meddai'r cyfansoddwr, a chwaraeodd yr aria i denor

'Di quella pira'.

"Anifeilaidd," meddai'r beirniad – roedd unrhyw beth llai nag uchel ael yn ei gythruddo.

Cododd Verdi a chofleidio'r *critic* mewn llawenydd.

"Pam ar y ddaear wyt ti'n gwneud hyn?" gofynnodd y beirniad.

"Wel, fy annwyl ffrind," meddai'r cyfansoddwr, "dwi newydd fod yn cyfansoddi opera boblogaidd, un i'r bobl gyffredin, nid i'r puryddion a'r clasurwyr diflas fel ti. Pe byddet ti wedi mwynhau'r miwsig fyddai neb arall wedi gwneud hynny. Mae dy gondemniad di wedi fy nghysuro'n fawr. Ymhen tri mis mi fydd alawon *Il Trovatore* yn cael eu canu a'u chwibanu ar hyd a lled yr Eidal."

Ac yn wir, felly y bu!

♪

Llythyr enwocaf Verdi:

Annwyl Ffrind,

Roedd *La Traviata* neithiwr yn drychineb. Ai fy mai i oedd o, ynte'r cantorion?

Amser a ddengys.

Yn gywir,

G Verdi

♪

Roedd **Donizetti** yn un o'r cyfansoddwyr cyflymaf erioed, byth a hefyd yn cwblhau opera mewn byr amser, yn ôl arferiad y cyfnod i gyflenwi tai opera efo deunydd cyson ar frys. Roedd wedi cyfansoddi dros 40 o operâu yn gymharol ifanc ac un diwrnod gofynnodd rhywun iddo a oedd hi'n wir fod **Rossini** wedi creu yr opera *Barbwr Seville* mewn pythefnos.

"Do, siŵr o fod," meddai Donizetti, "un diog fu Rossini erioed."

♪

Cafodd rheolwr theatr ym Milan ei siomi un tro gan gyfansoddwr oedd wedi addo llunio opera iddo erbyn dyddiad penodol. Dim ond pythefnos oedd i fynd, felly fe ymbiliodd y rheolwr ar **Donizetti** i ddod i'r adwy, gan awgrymu y gallai efallai ailwampio un o'i hen weithiau o'r gorffennol.

"Wyt ti'n trio gwneud hwyl am fy mhen i?" gofynnodd y cyfansoddwr. "Dydw i ddim yn gwneud pethau felly. Dos i gyrchu Felice Romani ar unwaith, ac fe gei di dy opera."

Pan gyrhaeddodd y dramodydd fe ddywedodd Donizetti wrtho fod ganddo wythnos i greu libretto, ac y byddai ganddo yntau wythnos wedyn i lunio'r gerddoriaeth.

"Gad i ni weld p'run ohonom ni ydi'r dewraf."

Ffrwyth hyn i gyd oedd yr opera *L'Elisir d'amore*, un o gampweithiau byd yr opera Eidalaidd.

♫

Pan ofynnwyd i **Donizetti** pa un o'i operâu oedd ei ffefryn, fe ddywedodd: "Sut alla i ddewis? Mae gan dad deimladau arbennig tuag at blentyn cloff, ac y mae gen i gymaint ohonyn nhw."

♫

Cleveland Amory:
"Mae opera fel gŵr priod o dramor – yn ddrud i'w gynnal, yn anodd ei ddeall ac felly yn sialens gymdeithasol o'r radd flaenaf."

W H Auden:
"All yr un stori opera fod yn synhwyrol, oherwydd mewn sefyllfaoedd synhwyrol dydy pobol ddim yn canu."

Claude Debussy:
"Y broblem gydag opera ydy fod gormod o ganu bob amser."

Ed Gardner:
"Opera ydy rhywbeth lle mae dyn yn cael ei drywanu yn ei gefn ac yn lle gwaedu, mae'n canu."

Jack Handey:

"Mi hoffwn i weld opera noethlymun, oherwydd dwi'n barod i fetio fod yna gryn gynyrfiadau i lawr tua'r organau cenhedlu yna wrth hitio'r nodau uchel."

Syr Ernest Newman:

"Mi fydda i'n meddwl o ddifri weithiau p'run fyddai'r gorau – opera heb egwyl, ynte egwyl heb opera."

Rossini:

"Mi fyddai opera yn fendigedig heb y cantorion."

Voltaire (yr athronydd Ffrengig):

"O'r holl synau yn y byd, opera ydi'r un drutaf."

David Randolph:

"Mae *Parsifal* (gan Wagner) yn fath o opera sy'n cychwyn am chwech o'r gloch, ac, ar ôl iddi fynd ymlaen am dair awr, rydach chi'n edrach ar eich wats ac mae hi'n ugain munud wedi chwech."

James Stephens:

"Mae cwsg yn ffordd ardderchog o wrando ar opera."

ORATORIO

Barn yr adolygydd cerdd Syr Ernest Newman oedd y dylid perfformio oratorios yng ngwisg y cyfnod, ar wahân efallai i'r *Greadigaeth*!

ORGAN

Pan hysbysebwyd swydd organydd dinas Lübeck yn yr Almaen adeg ymddeoliad Dietrich Buxtehude, fe ddangoswyd diddordeb gan ddau gerddor mwya'r cyfnod, sef **Bach** a **Handel**. Ond, roedd un amod anarferol ynghlwm â'r swydd: byddai raid i'r ymgeisydd llwyddiannus briodi merch Buxtehude. Yn ôl y sôn, 30 mlwydd oed oedd y ferch dan sylw, a rhaid cymryd yn ganiataol nad hi oedd mun brydfertha'r gymdogaeth – oherwydd ar ôl cymryd un olwg arni fe benderfynodd Bach a Handel dynnu'n ôl!

P

PARADOCS

Berlioz yn sôn am **Chopin**: "Roedd o'n marw drwy gydol ei fywyd."

PARCH

Roedd blaenwr un o gerddorfeydd yr Almaen yn teimlo cymaint o barchedig ofn tuag at yr arweinydd **Otto Klemperer** fel ei fod bob amser yn ei gyfarch yn ffurfiol gyda'i deitl llawn: "Herr Doktor Generalmusikdirector Klemperer..."

Ar ôl gwneud hyn sawl gwaith yn ystod un rihyrsal blinodd Klemperer yn llwyr ac meddai: "Er mwyn y nefoedd, ddyn, galwa fi'n Otto!"

PEN-BLWYDD

Pan ofynnwyd i **Erik Satie** un tro beth hoffai fel anrheg ar ei benblwydd fe soniodd am hances boced arbennig roedd o wedi'i gweld mewn siop. Wedi iddo farw fe ddarganfuwyd 84 o hancesi poced – i gyd yn union yr un fath – yn ei gwpwrdd dillad. Yno hefyd yr oedd 12 o siwtiau melfed o'r union un arddull a gwneuthuriad, a dwsinau o ymbaréls.

POEN

Pan sylweddolodd deintydd fod un o'i gwsmeriaid newydd yn arweinydd un o gorau meibion enwocaf Cymru fe gynigiodd chwarae rhai o'i recordiau fel cerddoriaeth gefndir.

"Na, mi fyddai'n well gen i petaech chi'n chwarae recordiau Côr Meibion ********," meddai'r arweinydd. "Fydd y boen ddim hanner mor ddrwg wedyn!"

PORTSMOUTH SINFONIA

Ffurfiwyd y gerddorfa ym 1970 gan fyfyrwyr mewn coleg arlunio yn Portsmouth gan dderbyn unrhyw unigolyn ar yr amod ei fod o neu hi yn dod i'r ymarferion efo offeryn nad oedd yn gallu ei chwarae. Rheol arall oedd y byddai unrhyw un oedd yn cael ei ddal yn ymarfer yn cael ei anfon ymaith yn syth. Y syniad, mae'n debyg, oedd achub cerddoriaeth glasurol oddi wrth y crachach sefydledig a'i rhoi yn nwylo amaturiaid oedd yn caru cerddoriaeth er ei mwyn ei hun. Roedd y gerddorfa'n ymhyfrydu o gael ei galw yn 'Gerddorfa Waetha'r Byd' ac fe gyrhaeddwyd uchafbwynt ym mis Mai 1978 gyda chyngerdd yn Neuadd Frenhinol Albert, Llundain, pan berffformiwyd *Agorawd 1812* a Chonsierto Piano 1af Tchaikovsky, ynghyd â 'Chytgan yr Haleliwia' allan o'r *Meseia* gan Handel. Cynhaliwyd cyngerdd pellach yng ngharchar Wandsworth. Fe wnaethpwyd ychydig o recordiau ac y mae galw mawr amdanyn nhw bellach.

Clawr un o recordiau'r Portsmouth Sinfonia

PRIMA DONNAS

Er mai *primo uomo* ydi'r term cywir am brif ganwr mewn opera, mae dynion yn gallu ymddwyn yr un mor ymffrostgar â merched. Mewn perfformiad operatig un tro roedd **Handel** yn cyfeilio ar yr harpsicord. Doedd y prif denor, gŵr hynod hunanbwysig o'r enw

Gordon, ddim yn hapus iawn efo arddull y cyfeiliant ac felly fe ddywedodd wrth Handel os na fyddai'n chwarae'n well y byddai'r tenor yn neidio ar ben ei harpsicord a'i malu'n ddarnau.

"Cofia ddeud wrtha i pryd y bydd hynny'n digwydd," atebodd Handel, "er mwyn i mi gael hysbysebu'r digwyddiad. Dwi'n siŵr y daw mwy o bobol i'th weld di'n neidio nag i wrando arnat ti'n canu."

♫

Fe wrthododd y pianydd **Vladimir de Pachmann** ddechrau cyngerdd un tro oherwydd nad oedd y stôl biano yn ddigon uchel. Wrth iddo gerdded o gwmpas y llwyfan yn ddiamynedd gan fynegi ei ddicter wrth y gynulleidfa, roedd rheolwr y neuadd yn ceisio'i orau i ddatrys y broblem. Yna, fe gafodd syniad a daeth at y piano efo llyfr teliffon o dan ei fraich a'i roi o dan y stôl. Eisteddodd de Pachmann eto ac ysgwyd ei ben. Yna plygodd i lawr, codi'r llyfr ffôn a rhwygo un dudalen allan. Eisteddodd unwaith eto a gwenu'n braf. Yna fe ddechreuodd chwarae.

Doedd **de Pachmann** ddim callach yn ei fywyd bob dydd. Roedd o'n arfer godro gwartheg gan ei fod yn credu bod hynny'n ymarfer da ar gyfer ei fysedd. Cyn pob cyngerdd fe fyddai'n socian ei fysedd, un ar y tro, mewn gwydraid o frandi. Ac un ffaith fach arall – fe ddechreuodd gymryd camau cyfreithiol i ysgaru ei *bedwaredd* wraig pan oedd o'n 85 oed!

Vladimir de Pachmann

♪

Yn ystod ymarferion ei opera *Guntram*, roedd **Richard Strauss**, a oedd hefyd yn arwain y perfformiadau, yn cael trafferthion dybryd efo'r soprano Pauline de Ahna, a oedd byth a hefyd yn creu cythrwfl. Yn yr ymarfer olaf cyn y perfformiad fe luchiodd Pauline ei sgôr at Strauss gan ei daro yn ei ben. Yna fe redodd i'w hystafell newid, efo Strauss yn ei dilyn. Wrth i'r gweiddi a'r sgrechian rhwng y ddau gael ei glywed yn glir gan aelodau'r gerddorfa, fe benderfynon nhw yn y fan a'r lle i beidio â gweithio byth eto efo'r soprano fileinig.

Ymhen amser daeth y cyfansoddwr a'r gantores allan o'r ystafell ac fe gyhoeddodd Strauss wrth y gerddorfa: "Annwyl gyfeillion, mae Pauline a minnau wedi dyweddïo."

PRIODI

Fe geisiodd nifer o bobol berswadio'r cyfansoddwr Rwsiaidd **Mussorgsky** i briodi a thrwy hynny gael rhywfaint o drefn ar ei fywyd cythryblus ac anniben, ond gwrthod wnaeth o.

"Os darllenwch chi yn y papur newydd ryw ddiwrnod fy mod i wedi saethu neu grogi fy hun, yna mi allwch chi gymryd yn ganiataol fod hynny'n golygu fy mod i wedi priodi y diwrnod cynt."

♪

Un o hoff ddywediadau **Brahms** oedd: "Wnes i erioed briodi, yn anffodus – ac felly mi arhosais yn sengl, diolch i Dduw!"

♪

Fe gynhaliwyd priodas **Percy Grainger**, y cyfansoddwr o Awstralia, ac Ella Viola Ström-Bandelius, artist o Sweden, ar lwyfan neuadd gyngerdd yr Hollywood Bowl yn Los Angeles o flaen cynulleidfa anferth. Roedd cerddorfa enfawr o 126 o aelodau yn bresennol ac fe ddechreuwyd y seremoni gyda'r priodfab yn arwain perfformiad o waith roedd o wedi'i gyfansoddi'n arbennig ar gyfer yr achlysur dan y teitl *To a Nordic Princess*.

Mr a Mrs Percy Grainger

PROBLEM

Roedd **Chopin** wedi gofyn am gael perfformiad o *Requiem* Mozart yn ei angladd, ond gan fod y gwaith yn cynnwys rhannau i leisiau benywaidd doedd Eglwys y Madeleine ym Mharis ddim yn hapus. Doedd yr eglwys erioed wedi caniatáu i ferched fod yn y côr, ac fe aeth bron bythefnos heibio cyn bod y broblem yn cael ei datrys. Yn y diwedd cytunodd yr eglwys – ar yr amod fod y merched yn anweledig y tu ôl i lenni melfed trwchus du.

PROFFWYDOLIAETH

Pan oedd **Mozart** yn fachgen ifanc 15 oed fe ddywedodd y cyfansoddwr Almaenig toreithiog **Johann Adolph Hasse**: "Mi fydd yr hogyn yma'n peri i ni i gyd gael ein hanghofio." Gwir y gair – er iddo lunio cannoedd o ddarnau, gan gynnwys 120 o operâu, dim ond enw mewn llyfr ydy Hasse bellach.

♪

Roedd yr arweinydd **Fritz Busch** yn bedantig iawn ynghylch manylion dehongli a thechneg gerddorfaol. Yn ei rihyrsal cyntaf yn Glyndebourne fe gododd ei freichiau i gychwyn y darn cyntaf ac yna eu rhoi i lawr yn syth heb i un nodyn gael ei chwarae. Yna fe ddywedodd wrth y gerddorfa yn ei Saesneg bratiog: *"Already – is too loud!"*

♪

"Rhyw ddiwrnod mi fydd hwn yn gwneud sŵn mawr yn y byd"
– **Mozart** ar ôl clywed bachgen ifanc, 17 oed, yn chwarae'r piano.
Enw'r bachgen oedd **Beethoven.**

R

REIAT

Mae'r chwechawd 'Chi mi frena' ar ddiwedd ail act yr opera *Lucia di Lammermoor* gan **Donizetti** wedi cael ei ddisgrifio fel un o'r darnau mwyaf dramatig yn holl hanes opera. Ar un achlysur yn Nhŷ Opera'r Metropolitan yn Efrog Newydd, pan oedd Caruso'n ymddangos yno am y tro cyntaf, roedd ymateb y gynulleidfa mor frwdfrydig a swnllyd nes i'r heddlu lleol dybio bod reiat wedi torri allan ac iddyn nhw ruthro i mewn i arbed y sefyllfa.

REIS

Fe ddaeth yr aria 'Di tanti palpiti' allan o'r opera *Tancredi* gan **Rossini** i gael ei galw'n 'Aria'r Reis', oherwydd i'w chyfansoddwr ei llunio tra oedd yn disgwyl am blatiaid o *risotto* mewn bwyty yn Fenis.

Erbyn diwedd ei oes roedd Rossini wedi cyfansoddi darnau o dan y teitlau 'Radis', 'Picls', 'Menyn', 'Ffigs sych', 'Almonau', 'Rhesinau', a 'Cnau'.

RH

RHESYMEG

Pan ofynnwyd i **Syr Thomas Beecham** pam roedd o wastad yn dewis merched enfawr i ganu'r prif rannau soprano yn ei operâu gan wrthod y rhai tenau, pert, meddai: "Yn anffodus, mae'r sopranos sy'n canu fel adar yn bwyta fel ceffylau – ac felly i'r gwrthwyneb hefyd."

♪

Pan ofynnodd Syr Felix Semon, arbenigwr ar y *larynx*, i **Adelina Patti** pam nad oedd hi erioed wedi canu rhannau operatig Wagner, fe atebodd: "Ydw i wedi gwneud unrhyw ddrwg i chi erioed?"

RHIF 9

Roedd Nawfed Symffoni **Beethoven** yn garreg filltir bwysig yn hanes cerddoriaeth ac yn hanes y cyfansoddwr, gan mai hon oedd ei symffoni gyntaf ers deng mlynedd. Hon hefyd oedd ei symffoni olaf. Yn rhyfedd iawn, bu nifer o gyfansoddwyr diweddarach farw ar ôl cyfansoddi eu nawfed: **Schubert, Dvořák**, a **Vaughan Williams**, i enwi dim ond tri.

Er mwyn ceisio osgoi'r posibilrwydd fe aeth **Mahler** ati'n syth i geisio cyfansoddi ei 10fed, ond bu farw ymhell cyn ei gorffen. Ceisiodd **Bruckner** chwarae tric ag angau drwy alw dwy o'i symffonïau yn Rhif 0 a Rhif 00, ond bu yntau farw ar ôl ei 9fed.

Sibelius oedd y doethaf – fe roddodd o'r gorau iddi ar ôl Rhif 7, a byw am 33 mlynedd arall!

RHIFYDDIAETH

Roedd gan **Bruckner** obsesiwn gyda rhifau – *numeromania* ydi'r term technegol am hyn. Roedd o'n teimlo rheidrwydd i gyfri popeth drosodd a throsodd – nifer y geiriau ar dudalen, nifer y dail ar goeden ac yn y blaen. Byddai'n cadw llyfr i groniclo'r nifer o weddïau y byddai wedi'u hoffrymu bob dydd, ac roedd ganddo restr hir o enwau'r merched (a'u hoedran) roedd o wedi syrthio mewn cariad â nhw (ond heb eu cyffwrdd – gweler EDIFEIRWCH).

♪

Roedd **Arnold Schönberg** yn dioddef o *triskaidekaphobia* – ofn y rhif 13. Fe'i ganwyd (ac, fel mae'n digwydd, fe fu farw) ar y 13eg o'r mis, rhywbeth roedd o'n ei ystyried yn arwyddocaol. Un tro gwrthododd rentu tŷ oedd yn cynnwys y rhifau 13, ac yr oedd yn hynod ofnus o gyrraedd yr oedran 76 oherwydd bod adio 7 a 6 yn rhoi 13.

RHWYDDINEB

Mozart:

"Dwi'n cyfansoddi fel mae hwch yn pi-pi."

♫

Un tro roedd chwaraewr cerddorfa wedi gwireddu breuddwyd o gael arwain cyngerdd, ac wedi gwahodd cyfaill, sef yr arweinydd enwog **Hans Richter**, i fod yn bresennol. Ar y diwedd roedd y chwaraewr yn blês iawn gyda'i berfformiad ac meddai wrth Richter: "Wyddost ti beth, mae'r busnes arwain yma yn reit hawdd mewn gwirionedd."

"Ssh," meddai Richter yn daer. "Paid â deud wrth bawb!"

♫

Mozart:

"Mae'n llawer rhwyddach chwarae rhywbeth yn gyflym na'i chwarae'n araf."

♫

Saint-Saëns:

"Rwy'n cynhyrchu cerddoriaeth fel mae coeden yn cynhyrchu afalau."

RHWYSTREDIGAETH

Pan ddywedwyd wrtho fod ei Gonsierto i'r Ffidil yn rhy anodd ac mai dim ond chwaraewr efo chwe bys allai ei berfformio, fe atebodd y cyfansoddwr blaengar **Arnold Schönberg**: "Mi alla i aros."

RHYFEDDODAU

Ymysg cyfansoddiadau **Marin Marais** mae darn sy'n disgrifio llawdriniaeth i dynnu coden y bustl (*gall bladder*).

♫

Ym 1737 pan oedd y Brenin Philip V o Sbaen yn cael un o'i gyfnodau rheolaidd o felancolia, fe ddaeth canwr teithiol heibio a pherfformio iddo. Roedd y brenin wedi'i sirioli gymaint fel iddo gynnig 5,000 o *francs* y flwyddyn iddo yn y fan a'r lle pe byddai'r canwr yn fodlon aros ym Madrid yn barhaol. Fe gytunodd y canwr ac fe ganodd yr un pedair cân bob nos am 25 mlynedd! Enw'r canwr oedd **Carlo Broschi Farinelli** – un o'r cantorion hynny a elwid yn *castrato,* mewn oes farbaraidd pan oedd ysbaddu plant er mwyn cerddoriaeth yn cael ei ystyried yn dderbyniol ac yn bwysicach na datblygiad naturiol.

♫

Pan oedd allan yn hela un diwrnod fe saethodd y cyfansoddwr **Syr George Onslow** ei hun yn ei wyneb, gan achosi niwed drwg i'w glust a barodd iddo fod yn rhannol fyddar am weddill ei oes. Fodd bynnag, fu'r profiad ddim yn gwbl ddiwerth, gan i Onslow, yn fuan ar ôl y ddamwain, gyfansoddi Pumawd Llinynnol dan y teitl 'Y Bwled'.

♫

Roedd y soprano enwog **Jennie Lind** (y 'Swedish Nightingale', fel y'i gelwid) mor boblogaidd yn Llundain fel y byddai torfeydd yn llenwi'r stryd lle roedd hi'n byw gan grefu arni i ganu iddyn nhw. Ar dri achlysur fe fethwyd cynnal gweithgareddau'r Tŷ Cyffredin oherwydd bod cymaint o Aelodau Seneddol yn absennol ac wedi mynd i wrando arni.

♫

Fe aned **Rossini** ar Chwefror 29ain, ac fe fu farw ar ddydd Gwener, y 13eg.

♫

Roedd perfformiad cynta'r opera *Masaniello* gan y cyfansoddwr Ffrengig **Daniel Auber** ym Mrwsel ym 1830 mor fyw ac effeithiol wrth ddarlunio terfysg Naples ym 1647 nes iddo gychwyn gwrthryfel yng Ngwlad Belg.

Gyda llaw, fyddai Auber byth yn bresennol mewn perfformiadau o'i operâu ei hun. "Os buaswn i'n mynd," medda fo, "dwi'n gwbod na fuaswn i byth yn sgwennu nodyn arall am weddill fy mywyd."

Un noson aeth i weld cynhyrchiad o *William Tell* gan ei hoff gyfansoddwr, Rossini, gan setlo'n ôl yn ei sedd i wrando ar nodau trawiadol cynta'r agorawd. Ond yr hyn glywyd oedd dechrau un o operâu Auber ei hun – a hynny oherwydd bod salwch un o'r cantorion wedi golygu newid yn rhaglen y noson. Yn ei ddychryn fe neidiodd Auber ar ei draed a rhedeg allan o'r theatr am ei fywyd.

♫

Fe gyfansoddodd yr Americanwr **Louis Moreau Gottschalk** ddarn o gerddoriaeth ar gyfer perfformiad arbennig yn Havana ym 1862. Teitl y darn ydy 'Ojos Criollos', ar gyfer 39 o bianyddion!

♫

Ym 1921 fe lwyfannwyd cynhyrchiad rhyfedd iawn yn Nhŷ Opera'r Metropolitan yn Efrog Newydd. Yr opera oedd *Boris Godunov* gan Mussorgsky, a thra oedd pawb arall yn y cast yn canu yn yr iaith Eidaleg roedd y prif gymeriad, y bas, yn canu ei ran mewn Rwsieg. Enw'r baswr oedd **Feodor Chaliapin** ac roedd y cynhyrchiad yn llwyddiant mawr.

♫

Wrth nofio o dan y dŵr ger Marseilles un diwrnod fe ddarganfu bachgen deuddeg oed o'r enw **Joseph Pujol** ei fod yn gallu tynnu dŵr i mewn trwy dwll ei din ac yna ei chwistrellu allan fel y mynnai. Yn fuan wedyn datblygodd ei dechneg gydag aer a darganfod y gallai gynhyrchu nodau cerddorol pendant. Ar ôl perffeithio'i ddawn daeth Pujol yn enwog fel perfformiwr proffesiynol yn y Moulin Rouge ym Mharis, lle bu'n diddanu'r miloedd dan yr enw 'Le Petomane' (Y Rhechwr Bonheddig). Prif uchafbwyntiau ei gyflwyniad oedd dynwared offerynnau chwyth a diffodd canhwyllau gyda dŵr trwy anelu ei ben ôl atynt o bellter o bymtheg llath. Ar ddechrau ei berfformiadau fe fyddai Pujol yn egluro wrth ei gynulleidfa nad oedd ei rechfeydd yn drewi, ac ar ôl eu sicrhau o hynny fe fyddai'n creu pob math o synau amrywiol – rhech fechan, fer i nodweddu merch ifanc, newydd briodi, ac yna daran o sŵn i gyfleu yr un ferch wythnos yn ddiweddarach. I greu uchafbwynt a diweddglo effeithiol i'w ddatganiad fe fyddai'r artist yn cysylltu tiwb rwber rhwng ei ben ôl a'r offeryn cerdd ocarina, ac yna'n perfformio medli o ganeuon poblogaidd gan wahodd y gynulleidfa i ymuno.

RHYW

Roedd **Franz Kotzwara**, cyfansoddwr o Brâg oedd wedi byw a gweithio mewn sawl gwlad dramor yn ystod ei fywyd, yn gerddor o alluoedd hynod iawn. Yn ôl y sôn, gallai chwarae 13 o wahanol offerynnau, ac yr oedd yn nodedig am ei feistrolaeth o'r bas dwbl, gan guro pob chwaraewr mewn cystadlaethau yn Fenis, Paris a Llundain. Er nad oes neb yn sicr o ddyddiad ei eni (tua 1730?), mae amgylchiadau ei farwolaeth yn Llundain ar 2 Medi 1791 yn gyhoeddus iawn, er i'r barnwr ar y pryd orchymyn i bob dogfen ynglŷn â'i ddiwedd gael ei dinistrio. Digon yw dweud yma fod ei ddiwedd dramatig yn ymwneud â thŷ amheus yn ardal Covent Garden, putain o'r enw Susannah Hill, a darn o raff.

S

SARHAD

G K Chesterton:
"Mae cerddoriaeth gyda chinio yn sarhad ar y cogydd yn ogystal â'r chwaraewr ffidil."

SERCH

Roedd **Smetana**, y cyfansoddwr o Bohemia, yn hoff iawn o ferched ac fe fyddai'n cofnodi'i anturiaethau carwriaethol, llwyddiannus ac aflwyddiannus, yn ei ddyddiadur. Gan ei fod yn rhy dlawd i brynu anrhegion drudfawr i'w gariadon fe fyddai Smetana yn cyflwyno darnau o gerddoriaeth iddyn nhw. Dyna felly arwyddocâd ei 'Louisa Polka', 'Elisabeth Waltz', 'Marina Polka', 'Katerina Polka', a llu o ddarnau eraill cyffelyb.

Cyfrol o gerddoriaeth ramantus Smetana

♫

Dyn byr oedd **Haydn**, a hynny o bosib oherwydd na chafodd ei fwydo'n iawn yn ystod ei blentyndod. Doedd o ddim yn olygus ac, fel llawer o'i gydoeswyr, roedd ei wyneb yn llawn creithiau ar ôl effeithiau'r frech wen. Yn ôl ei gofiannydd cyntaf, Albert Christoph Dies, roedd Haydn yn methu deall pam fod cymaint o ferched prydferth wedi syrthio mewn cariad ag o.

SGANDAL!

Fe gyfansoddodd **Syr Arthur Sullivan** ei gân grefyddol enwog 'The Lost Chord', yn eironig iawn, ar gyfer ei gariad anghyfreithlon, Mrs Fanny Ronalds, a oedd yn wraig i Americanwr cyfoethog, ond a oedd wedi ymgartrefu mewn fflat cyfleus gan Sullivan yn

Llundain. Yn ôl y stori, roedd llawysgrif wreiddiol y gân ar goll am flynyddoedd cyn i rywun ddarganfod bod Mrs Ronalds wedi mynnu yn ei hewyllys fod y copi yn cael ei gladdu efo hi, â'r gerddoriaeth yn gorwedd ar draws ei bronnau yn yr arch.

Llungopi o lawysgrif wreiddiol 'The Lost Chord'

♫

Ar un o'i deithiau i gynnal cyngherddau yn Rwsia fe gyfarfu'r feiolinydd Ffrengig **Jacques Thibaud** â merch ifanc brydferth ar siwrnai drên hir y Trans-Siberian Express. Ar ôl cael cinio canol dydd efo'i gilydd a chinio gyda'r nos lle roedd y gwin yn llifo, fe wnaethpwyd trefniant y byddai'r cerddor yn ymuno â'r ferch yn nes ymlaen yn ei chaban cysgu. Fore trannoeth, ac yntau'n paratoi i fynd yn ôl i'w gaban ei hun, fe ddarganfu Thibaud fod y rhan honno o'r trên wedi cael ei datgysylltu yn ystod y nos a'i fod yntau bellach yn methu symud o Siberia, yn ei byjamas, heb ddillad, dogfennau na ffidil.

♫

Cafodd **Otto Klemperer** ei garcharu am ychydig oriau pan wnaeth o orymateb ar ôl cael damwain car fechan wrth deithio yn yr Unol Daleithiau. Pan gyrhaeddodd yr heddlu roedd Klemperer yn swp o nerfau ac fe dynnodd wn dŵr allan a'i bwyntio at y plismon. Y rheswm? Nid ei wraig ei hun oedd y ddynes oedd efo fo yn y car ac roedden nhw wedi bod yn teithio o gwmpas y wlad gan aros mewn amryw westai fel pâr priod, a hynny'n anghyfreithlon mewn rhai taleithiau.

Bu Klemperer hefyd yn y carchar yn Efrog Newydd ar ôl un o'i ymweliadau cyson ag ardaloedd y puteiniaid, ac un tro, gyda cherddorfa a chynulleidfa'n aros yn amyneddgar am ei bresenoldeb mewn cyngerdd yn Fienna, fe gafwyd hyd iddo mewn puteindy lleol yn dadlau am y pris.

SIOMEDIGAETH

Ar ôl cael ei benodi'n Brif Weinidog newydd Gwlad Pŵyl ym 1919 roedd **Paderewski** yn bresennol yng Nghynhadledd Heddwch Paris. Wrth gael ei gyflwyno i Georges Clemenceau, Prif Weinidog Ffrainc, fe ofynnodd hwnnw iddo oedd o'n perthyn i'r pianydd byd-enwog Paderewski. "Y fi ydi'r pianydd," atebodd yntau.

"Be?" meddai'r Ffrancwr mewn anghrediniaeth, "a rŵan rydach chi'n Brif Weinidog? Dyna beth yw darostyngiad!"

SMALDOD

Mae yna stori am y tri arweinydd, **Karajan**, **Fürtwangler** a **Böhm**, yn trafod efo'i gilydd.

"Mae'n amlwg mai fi ydi'r arweinydd gorau," meddai Fürtwangler.

"Am funud bach," meddai Böhm, "mi ges i freuddwyd neithiwr ac fe bwyntiodd Duw ata i a deud mai fi oedd yr arweinydd gorau mewn hanes."

Meddai Karajan:

"Wnes i ddim deud y fath beth!"

SOPRANOS

Ar daith ym Mecsico fe gafodd un soprano ei herwgipio gan
ladron, a'i chludo i ogof yn y mynyddoedd. Wrth gicio a sgrechian
fe brotestiodd y ferch am y modd roedd hi'n cael ei thrin, a hithau,
meddai, yn seren y byd opera. Roedd y lladron yn digwydd bod
yn hoff iawn o gerddoriaeth, felly fe gytunon nhw i ryddhau'r
soprano **os** gallai hi brofi ei bod hi'n wirioneddol yr hyn roedd
hi'n ei ddweud.

"Sut alla i wneud hynny?" gofynnodd.

"Wel, canwch!"

"Be? Canu mewn ogof? Canu o flaen dihirod? Heb oleuadau?
Heb golur? Heb flodau? Heb dâl?"

"Gollyngwch hi'n rhydd," meddai'r prif leidr. "Mae hon **yn**
brima donna go iawn!"

♫

Pan oedd galw mewn opera am ganu aria lle roedd y cymeriad yn
marw, roedd y soprano **Maria Jeritza** yn gallu gwneud hynny
a hithau'n gorwedd yn hollol wastad ar wely neu ar y llawr. Fe
barodd hyn iddi gael ei galw yn *La diva prostrata.*

Maria Jeritza

SYLW

Yn ei hen ddyddiau, ac yntau'n enwog ac yn mwynhau ei hamdden, fe fyddai **Rossini** yn cael ei boenydio gan gyfansoddwyr ifanc yn dod i'w weld i ddangos eu gwaith a gofyn am ei farn. Un o'r rhain oedd nai i'r cyfansoddwr enwog Meyerbeer, a oedd newydd farw. Roedd y nai wedi llunio ymdeithgan angladdol er cof am ei ewythr ac yn awyddus i gael barn Rossini amdani. Ar ôl chwarae'r gerddoriaeth ar y piano fe drodd y cyfansoddwr ifanc i dderbyn sylwadau'r meistr.

"Wel, ydi, mae hi'n ddigon derbyniol," meddai Rossini, "ond oni fyddai'n well petaet **ti** wedi marw a'th ewythr wedi sgwennu'r gerddoriaeth?"

T

TALENT

Pan oedd yn 12 oed fe chwaraeodd **Jascha Heifetz** y Consierto i'r Ffidil gan Mendelssohn i **Fritz Kreisler** mewn tŷ preifat ym Merlin. Ar y diwedd, meddai Kreisler wrth bawb oedd yn bresennol: "Wel, waeth i ni i gyd gymryd ein hofferynnau a'u malu nhw dros ein gliniau."

♫

Ar ôl cyngerdd un tro, fe ofynnodd rhyw wraig i'r pianydd **Józef Hofmann** sut oedd o'n gallu chwarae cystal ac yntau'n meddu ar ddwylo mor fychan. Atebodd yntau: "Madam, beth sy'n gwneud i chi feddwl 'mod i'n chwarae efo 'nwylo?"

TECHNEG
Pablo Casals:
"Y dechneg berffeithiaf ydi'r un nad ydach chi'n sylwi arni."

TEITLAU
Nid *Sonata Kreutzer* oedd teitl gwreiddiol y gwaith enwog i'r ffidil

gan **Beethoven**. Er bod Rudolphe Kreutzer yn feiolinydd enwog iawn yn ei ddydd, a'i enw bellach wedi'i anfarwoli yn nheitl sonata adnabyddus Beethoven, nid y fo oedd gwrthrych gwreiddiol y cyflwyniad i'r darn. Ar y pryd, i'r chwaraewr ifanc Americanaidd croenddu, Robert Bridgetower, y bwriadwyd y gwaith, ond ychydig cyn y cyhoeddi fe gafodd Beethoven a Bridgetower andros o ffrae, a hynny oherwydd rhyw ferch ifanc. Yn ei gynddaredd, fe groesodd y cyfansoddwr enw Bridgetower oddi ar y sgôr a rhoi enw Kreutzer yn ei le – dyn, yn ôl yr hanes, nad oedd Beethoven erioed wedi'i weld na'i glywed!

Clawr Sonata Kreutzer

♫

Ym 1789 fe deithiodd y cyhoeddwr John Bland o Lundain i Fienna er mwyn chwilio am fiwsig newydd i'w gyhoeddi. Pan alwodd yn nhŷ **Haydn** roedd y cyfansoddwr ar ganol siafio ac yn cael trafferthion mawr. "Mi rown i fy mhedwarawd llinynnol gorau am rasel dda!" meddai.

Ar hynny fe ruthrodd Bland yn ôl i'w westy a dychwelyd efo set o'i raselau dur gorau. Fe gadwodd Haydn at ei air ac fe gyflwynodd ei bedwarawd Opus 55, Rhif 2, i'r cyhoeddwr. Byth er hynny mae'r darn wedi dwyn yr is-deitl 'Rasirmesser' (Rasel).

♫

Pan oedd yn ddim ond deuddeg oed fe gomisiynwyd **Oliver Knussen** gan Benjamin Britten i gyfansoddi symffoni ar gyfer Gŵyl Aldeburgh 1969. Penderfynodd y cerddor ifanc greu gwaith dan y teitl *Tân*, ac fe berfformiwyd y darn yn neuadd gyngerdd Snape Maltings – a losgwyd i'r llawr yn ddiweddarach y noson honno.

TEITLAU OD

Dyma rai o'r teitlau a roddodd **Erik Satie** i'w weithiau gyda'r bwriad o gythruddo'r beirniaid cerdd roedd o'n eu casáu: 'Embryos wedi sychu', 'Tri darn ar siâp gellyg', 'Bod yn genfigennus o gydymaith efo pen mawr', 'Tair preliwd lipa (i gi)', 'Cipolwg annymunol'.

TEMPO

Fe ofynnwyd i'r cyfansoddwr Ffrengig **Fauré** un tro beth oedd y tempo delfrydol ar gyfer un o'i ganeuon. "Wel," meddai, "os ydi'r canwr yn un gwael, tempo cyflym iawn!"

TOR-CYFRAITH

Oherwydd bod golwg mor flêr arno, mewn hen gôt a heb het am ei ben, fe arestiwyd **Beethoven** un tro a'i luchio i'r carchar. Ac yntau'n protestio'n groch, dim ond pan anfonwyd am bennaeth yr heddlu, a hwnnw'n cyrchu Cyfarwyddwr Cerdd Fienna i'w adnabod, y rhyddhawyd cyfansoddwr mwyaf i gyfnod.

♫

Ym mis Tachwedd 1906 arestiwyd **Caruso** ar ôl i wraig ei gyhuddo o ymyrryd yn rhywiol â hi yn nhŷ'r mwncïod yn y sw yn Central Park, Efrog Newydd. Mae'n debyg mai ymgais i hawlio arian oedd y cyfan gan i'r wraig roi enw a chyfeiriad ffug i'r heddlu, ac ni welwyd hi byth wedyn. Pan ddaeth yr achos i'r llys, fodd bynnag, cafwyd Caruso yn euog a'i ddirwyo 10 doler.

TRAWSGYWEIRIAD

Anfonodd y soprano Frieda Hempel neges at **Syr Thomas Beecham** un pnawn i ddweud nad oedd yn teimlo'n arbennig o dda a gofyn a allai drefnu i drawsgyweirio'r aria 'Ach, ich fuhl's' iddi ar gyfer y perfformiad y noson honno. Er nad oedd hi wedi egluro'n hollol, roedd hi'n amlwg mai symud y darn i gyweirnod is oedd dymuniad y soprano fel nad oedd raid iddi ymgyrraedd at y nodau uchel. Ond, doedd Beecham ddim yn hoff iawn o Hempel, felly fe orchmynnodd i'r gerddorfa drawsgyweirio'r darn – yn uwch!

TRYCHINEBAU

Pan gollodd 384 o bobol eu bywydau mewn tân yn ystod perfformiad o'r opera *Tales of Hoffmann* gan Offenbach yn Fienna ym 1881, roedd **Wagner** yn gandryll. "Pan gaiff glowyr eu claddu'n fyw rwy'n arswydo ac yn cydymdeimlo o fyw mewn byd lle mae tanwydd yn gorfod cael ei gloddio mewn ffordd mor anwaraidd. Ond rwy'n teimlo'n hollol oeraidd a dideimlad wrth glywed bod aelodau o gynulleidfa wedi marw wrth glywed miwsig gan Offenbach, a hwnnw'n hollol amddifad o unrhyw werth moesol o gwbl."

♫

Yn y cyfnod pan oedd hi'n arferiad i dorri rhannau arbennig o offer rhywiol bechgyn ifanc i greu'r math arbennig o lais a elwid yn *castrato*, fe ddigwyddodd damwain go ddramatig. Roedd un o'r cantorion, o'r enw Balani, wedi'i eni heb y rhannau hynny a dynnid allan yn ystod ysbaddu – hynny yw, roedd o'n gastrato naturiol o'r crud. Fe astudiodd gerddoriaeth a pherfformio'n llwyddiannus yn y tai opera am rai blynyddoedd. Yna un diwrnod ym 1765, wrth berfformio yn Nhŷ Opera San Carlo yn Naples, fe orymdrechodd wrth ganu arietta ac yn sydyn fe syrthiodd y rhannau rheiny a oedd wedi bod yn guddiedig am gyfnod mor hir i'w lle priodol. Collodd y canwr ei lais yn syth a daeth ei yrfa i ben.

♫

Yn yr un cyfnod ac yn yr un tŷ opera fe gafwyd damwain arall, lawer mwy difrifol, ychydig flynyddoedd ynghynt. Y tro yma roedd castrato ifanc o'r enw Luca Fabbris wedi ymestyn yn ddewr tuag at nodyn anarferol o uchel pan syrthiodd yn farw ar y llwyfan. Yn ôl y sôn, fe gafodd y cyfansoddwr oedd wedi annog y canwr i ymgeisio at y nodyn arbennig, sef Pietro Guglielmi, dipyn o fraw.

♪

Pan gafodd ei opera *Goyescas* ei pherfformio yn Efrog Newydd ym 1916, fe fynnodd y cyfansoddwr Sbaenaidd **Granados** gael ei dalu mewn barrau o aur, oherwydd sefyllfa fregus arian papur yn ystod y Rhyfel Byd Cyntaf. Ar ei ffordd yn ôl i Ewrop fe suddwyd y llong roedd o'n teithio arni gan yr Almaenwyr ac er i Granados gael ei roi yn un o'r badau achub fe welodd ei wraig yn y dŵr ac fe neidiodd allan i geisio'i hachub. Oherwydd pwysau'r aur yn ei bocedi fe suddodd y ddau i waelod y môr.

TWPDRA CERDDOROL

Beth bynnag ydi'r cyfieithiad Cymraeg o *tone deafness* – byddardod cerddorol? – roedd un o arlywyddion yr Unol Daleithiau, Ulysses S Grant, yn dioddef ohono. Fel un oedd yn casáu unrhyw fath o gerddoriaeth ar wahân i ganeuon gwladgarol, fe ddywedodd unwaith: "Dim ond dwy diwn dwi'n adnabod – un ydy 'Yankee Doodle' ond nid dyna ydi'r llall."

TYBED?

Pan deithiodd **Handel** i Ddulyn ar gyfer perfformiad cyntaf o'i oratorio *Y Meseia* ym 1742, ai o borthladd Caergybi yr hwyliodd o, ynteu o Parkgate, ger Caer? Mae rhai cofnodion yn sôn fod y tywydd anffafriol wedi golygu bod y cyfansoddwr wedi gorfod aros am rai dyddiau yn y Golden Falcon yng Nghaer cyn hwylio o Parkgate, tra bo eraill yn nodi ei fod ar ei ffordd i Gaergybi.

TYMER

Yn ystod Gŵyl Salzburg ym 1937 bu bron i gynhyrchiad o'r opera *Falstaff* ddod i ben oherwydd tymer dymhestlog **Toscanini**. Fe luchiodd y sgôr at bedair merch wahanol ar bedwar achlysur gwahanol, gan eu cyhuddo o beidio dysgu'r gwaith. Fe wnaeth o hefyd ymosod ar y chwaraewr timpani, a phan gododd hwnnw ei ddyrnau i'w amddiffyn ei hun fe giciodd yr arweinydd ei ddrymiau gan wneud tolc yn un ohonynt. Nid syndod, felly, i'r gerddorfa fynd ar streic gan wrthod chwarae nes y byddai Toscanini yn ymddiheuro. Fe wnaeth hynny yn anfoddog drwy ddweud: "Maddeuwch i mi, dwi ddim ond yn gwneud hyn er mwyn Verdi."

Ar achlysur arall fe rwygodd ei wats aur oddi ar ei chadwyn, ei lluchio ar y llawr ac yna neidio arni. Cyn y rihyrsal nesaf roedd y gerddorfa wedi prynu wats rad iddo efo'r geiriau canlynol wedi'u cerfio ar y cefn: "I'r Maestro – ar gyfer ymarferion yn unig."

♫

Roedd y soprano Eidalaidd Francesca Cuzzoni yn enwog am golli ei thymer. Un diwrnod fe ddywedodd wrth **Handel** nad oedd hi'n hoffi'r aria roedd o wedi'i chyfansoddi ar ei chyfer ac y byddai'n rhaid iddo lunio un arall:

"*I would like a fresh air,*" meddai.

Yn ei wylltineb fe waeddodd Handel:

"Roeddwn i'n gwbod yn iawn dy fod ti'n un o ferched y diafol. Ond mi gei di weld rŵan mai fi ydy Belzebub ei hun."

Ar hynny, fe lusgodd y soprano at ffenest agored a bygwth ei lluchio allan i'r stryd i gael ei *fresh air.* Dyna pryd y penderfynodd Cuzzoni ei bod hi'n eithaf hoff o'r aria wedi'r cyfan.

Gyda llaw, bryd hynny roedd lluchio pobol drwy ffenestri yn un o'r ffyrdd traddodiadol i ddienyddio drwgweithredwyr yn yr Almaen.

U

UCHELGAIS

Ar ôl i **Brahms** fod yn ei thŷ yn Fienna a chwarae ei phiano gydag arddeliad, fe ysgrifennodd y gantores Luise Dustmann: "Un diwrnod mi wna i wahodd y boi yna o Hamburg draw unwaith eto – nid ar gyfer fy mhiano ond i mi. Efallai y gall o wneud i'm llinynnau inna sboncio..."

UNIGRWYDD

Roedd y soprano Affro-Americanaidd **Martina Arroyo** yn briod â chwaraewr fiola Eidalaidd, ac oherwydd eu gyrfaoedd prysur, yn cynnal dau gartref, un yn Efrog Newydd a'r llall yn Zurich, yn y Swistir. Un tro, a'r ddau yn eu cartrefi ar wahân ac yn teimlo'n unig, fe benderfynon nhw ddal awyren a rhoi syrpreis i'w gilydd. Y bore trannoeth roedd y ddau wedi cyrraedd adre ond roedd Môr Iwerydd yn dal i fod rhyngddyn nhw!

W

WPS!

Yn ystod cyngerdd lle roedd yr agorawd *William Tell* gan Rossini yn cael ei pherfformio yn Neuadd Albert, fe ddywedodd Americanes: *"Back home this is known as 'The Lone Ranger'."*

♫

Pan ddarganfu gwraig un o chwaraewyr Cerddorfa'r Hallé fod ei gŵr wedi bod yn cael perthynas efo un o aelodau benywaidd y gerddorfa aeth i ddatgan ei chŵyn wrth yr arweinydd, **Syr John Barbirolli**. Roedd yntau'n llawn cydymdeimlad gan geisio'i chysuro drwy ddweud y byddai'r holl beth yn siŵr o basio ac y byddai ei gŵr yn dychwelyd ati cyn hir. Yna, fel rhyw ychwanegiad difeddwl, meddai Barbirolli: "P'run bynnag, mae o'n chwarae'n well nag erioed."

♫

Gadawodd adolygydd papur newydd gyngerdd yn gynnar i fynd i barti ac felly fe gollodd ddigwyddiad syfrdanol yn y neuadd, sef gwallgofddyn yn neidio o'r balconi ac ymosod ar yr arweinydd,

Reginald Jacques. Tra oedd tudalen flaen y papur fore trannoeth yn adrodd hanes y digwyddiad cyffrous mewn cryn fanylder, roedd adolygiad y *critic* ar dudalen arall yn disgrifio'r cyngerdd fel 'Achlysur cyffredin iawn'.

♫

Mewn parti ym Mharis un noson yn dilyn datganiad piano yn gynharach y prynhawn gan Syr Charles Hallé, fe gofleidiodd **Charles Gounod** y pianydd a'i longyfarch yn wresog ar ei berfformiad gwirioneddol ogoneddus. Dim ond Hallé allai fod wedi dehongli Beethoven fel ag y gwnaethpwyd y prynhawn hwnnw, meddai, ac fe nododd y cyfansoddwr nifer o enghreifftiau o gelfyddyd arbennig y perfformiwr. Yn wir, fe allai Gounod fod wedi adnabod arddull y pianydd efo'i lygaid ynghau gan mor unigryw ydoedd. Y funud nesaf daeth gwraig Gounod at y ddau gan ymddiheuro i Hallé ar ran ei gŵr a hithau am fethu bod yn bresennol yn y cyngerdd oherwydd galwadau eraill.

♫

Cwsmer mewn bwyty yn gofyn i un o chwaraewyr y grŵp offerynnol oedd yn creu'r miwsig cefndirol: "Ydach chi'n chwarae ceisiadau?"

Cerddor: "Wrth gwrs, syr – ar bob cyfri."

Cwsmer: "Wel, chwaraewch gêm o dominos nes fy mod i wedi gorffen fy mwyd."

♫

Roedd trefnwyr gŵyl gerdd flynyddol y Two Moors Festival yn ardaloedd Dartmoor ac Exmoor yn edrych ymlaen yn eiddgar at y diwrnod pan fyddai'r piano cyngerdd (*grand piano*) yn cyrraedd. Roedden nhw wedi bod yn casglu arian ers blynyddoedd i'w phrynu. Ond pan gyrhaeddodd y lori, gyda'r offeryn gwerth £45,000 arni, rywsut neu'i gilydd fe syrthiodd y piano i'r llawr a malu'n deilchion.

♪

Roedd Cwmni Opera Cenedlaethol Cymru yn perfformio cynhyrchiad o *Aida* ac yn yr olygfa lle mae byddin yr Aifft yn martsio drwy'r anialwch, roedd aelodau'r corws yn gwneud y peth arferol o groesi'r llwyfan, mynd rownd y cefn ac ailymddangos yr ochr arall sawl tro er mwyn cyfleu'r syniad fod cannoedd o filwyr yn pasio heibio. Mewn un theatr doedd dim digon o le gefn llwyfan, felly roedd y milwyr yn gorfod mynd allan drwy'r drws cefn i'r stryd ac yna yn ôl i mewn drwy ddrws yr ochr arall. Popeth yn iawn – cyn belled â bod y tywydd yn sych. Yn anffodus, a hithau'n glawio'n drwm un noson, fe welwyd y milwyr yn troi o fod yn chwysu dan wres tanbaid yr haul un funud i fod yn anffodusion truenus a soeglyd funud yn ddiweddarach.

♪

Pan gyhoeddodd y llywodraeth fod Prydain yn mynd i ryfel yn erbyn Abysinia ym 1867 ac yn anfon lluoedd arfog i Affrica, fe benderfynodd **John Pridham** cyfansoddwr poblogaidd ar y pryd, lunio darn piano disgrifiadol dan y teitl 'Brwydr Abysinia'. Roedd y gerddoriaeth yn cyfleu synau dramatig, yn cynnwys marchogion yn ymosod, gynau'n tanio a'r clwyfedig yn griddfan, gan ddiweddu efo datganiad urddasol a buddugoliaethus o 'God Save the Queen'. Roedd cyhoeddwyr y gerddoriaeth yn awyddus i gael y copïau yn y siopau ar unwaith, yn barod erbyn y byddai'r newyddion yn cyrraedd am lwyddiant yr ymgyrch, felly fe drefnwyd i'r gwaith gael ei argraffu ar frys er mwyn manteisio ar y sefyllfa. Yn anffodus, fe fu'r holl ymdrech yn ofer. Fe ildiodd yr Abysiniaid yn syth heb i un bwled gael ei saethu, ac ni fu ymladd. Ond, mewn siopau ar hyd a lled Prydain, roedd cannoedd o gopïau o ddarn o gerddoriaeth oedd yn disgrifio brwydr a ddigwyddodd yn nychymyg y cyfansoddwr yn unig.

♪

Pan ryddhaodd cwmni recordiau o'r Alban ddisg o gerddoriaeth bagbib fe sylweddolodd y peiriannydd ei fod wedi gwneud andros o gamgymeriad – sef prosesu'r tâp y ffordd anghywir, fel bod y gerddoriaeth yn cael ei pherfformio am yn ôl. Fe anfonwyd at y siopau i dynnu'r recordiau oddi ar y silffoedd, ond roedd rhai dwsinau wedi'u gwerthu'n barod – a doedd neb wedi sylwi na chwyno!

♫

Roedd y pianydd **José Iturbi** yn methu canolbwyntio yn ystod datganiad mewn theatr ym Montevideo oherwydd bod gwraig ffroenuchel yn un o'r bocsys yn tynnu ei sylw drwy besychu'n barhaol, ffidlan efo'i rhaglen a chynnal sgwrs achlysurol efo'i chydymaith. Yn y diwedd cafodd y pianydd lond bol a stopio chwarae, mynd i flaen y llwyfan a phwyntio at y ddynes. "Fan yna, dwi'n credu, mae'r cyngerdd." Rhewodd y wraig yn syth ac aeth y pianydd ymlaen â'i berfformiad. Ar y diwedd, rhuthrodd rheolwr y theatr at Iturbi gan ysgwyd ei law yn wresog: "Am ddewrder," meddai, "am wrhydri – i siarad fel 'na efo gwraig yr Arlywydd!"

♫

Swydd gyntaf **Irving Berlin** oedd gweini wrth y byrddau yn un o dai bwyta Efrog Newydd, ac ar ddiwedd y noson, cyn mynd adre, byddai'n rhoi tonc ar y piano hynafol oedd yng nghornel yr ystafell. Ymhen blynyddoedd, a hithau bellach mewn cyflwr hyd yn oed yn fwy truenus, fe fyddai'r piano yn denu cannoedd o ymwelwyr ar dripiau twristiaeth y ddinas.

Un tro, flynyddoedd lawer ar ôl iddo ddod yn enwog fel cyfansoddwr caneuon fel 'White Christmas', 'Easter Parade', 'Always' a llu o rai eraill, fe benderfynodd Berlin ailymweld â'r bwyty ac fe synnodd weld yr hen biano yn dal yn ei le. Wrth iddo chwarae'r offeryn, gan ymgolli yn ei atgofion, fe ddaeth criw o dwristiaid i mewn gyda thywysydd hollwybodus. Wedi iddo egluro pwysigrwydd y lleoliad a'r piano, fe basiodd y tywysydd heibio'r pianydd ar ei ffordd allan. "Hei," medda fo wrth Berlin, "petai Irving Berlin yn dy glywed di'n llofruddio un o'i ganeuon o fel yna, mi fyddai'n troi yn ei fedd."

♫

Hysbyseb mewn papur newydd:

White Rock Pavilion, Hastings

Tuesday: Ronald Smith plays Tchaikovsky's Piano Concerto No. 1.

There will be another wrestling match at the Pavilion on Wednesday.

♫

Gwelodd yr arweinydd **André Previn** gyfansoddwr Americanaidd ifanc mewn tafarn un noson a'i wahodd i ymuno ag o am ddiod.

"Mi wnes i fwynhau'r cyngerdd y noson o'r blaen yn fawr," meddai'r cyfansoddwr, "a'r perfformiad o'r Symffoni Rhif 6 gan Beethoven yn yr hanner cyntaf yn arbennig."

"O diar," meddai Previn, "dyna'r noson roedd Pollini i fod yn unawdydd piano yn yr ail hanner a bu raid iddo ganslo, a daeth rhyw ferch ofnadwy o ddidalent i gymryd ei le. Mae'n wir ddrwg gen i eich bod chi wedi gorfod diodde'r fath berfformiad."

"Mae'n iawn," meddai'r cyfansoddwr, "fy ngwraig oedd hi."

Y

YMARFER

Er mwyn cadw disgyblaeth arno'i hun ac yntau'n nesáu at ei benblwydd yn 70 oed, fe gyfansoddodd y pianydd **Leslie Bridgewater** ddarn hynod o anodd dan y teitl 'The Egg Timer'. Bob bore fe fyddai'n rhoi wy i'w ferwi mewn sosban ac yna'n mynd at y piano i chwarae'r darn. Ar ôl ei berfformio fe fyddai'n tynnu'r wy allan ac os byddai'n feddal fe wyddai fod ei dechneg yn berffaith. Os byddai'r wy ychydig yn galed roedd angen rhyw ddwy awr o ymarfer i wella, ond os oedd yr wy yn galed iawn roedd wythnos brysur o'i flaen i godi'r safon.

♫

Andrés Segovia:

"Mae'r artistiaid sy'n dweud eu bod nhw'n ymarfer wyth awr y dydd un ai'n dweud celwydd neu'n wirion."

YMLADDFA

Roedd dwy o gantoresau amlycaf cyfnod **Handel** – sef Francesca Cuzzoni a Faustina Bordoni – wastad yn cystadlu â'i gilydd am sylw. Roedd raid i'r cyfansoddwr wneud yn siŵr fod y ddwy yn cael yr union yr un faint o linellau cerddorol i'w canu os oedden nhw'n ymddangos yn yr un opera. Ond roedd y teimladau o gasineb wastad yn agos i'r wyneb ac un tro, mewn cynhyrchiad o'r opera *Astianatte* ym 1727, fe ddechreuodd y ddwy ymladd yn gorfforol ar y llwyfan gan dynnu gwallt ei gilydd a rowlio ar y llawr. Mae'n debyg fod Tywysoges Cymru, a oedd yn bresennol ar y noson, yn grac iawn am yr holl beth ac fe ddaeth tymor y perfformiadau i ben yn syth.

♫

Ym 1913, adeg perfformiad cynta'r bale *Defod y Gwanwyn* (*Rite of Spring*) gan **Stravinsky**, gyda'i seiniau cyntefig, amhersain, roedd y gynulleidfa'n hollol ranedig yn ei hymateb. Tra oedd rhai'n bwio, yn hisian ac yn gweiddi 'Gwallgofddyn', roedd eraill yn cymeradwyo'n frwd a gweiddi 'Athrylith'. Datblygodd yr ymryson geiriol i fod yn un corfforol, a bu ymladdfa waedlyd rhwng pobol oedd fel arfer yn soffistigedig, a hynny yn eu dillad mwyaf crand.

YSBRYDOLIAETH

Fe allai **Schubert** gyfansoddi ym mron unrhyw le, ynghanol y sŵn a'r miri rhyfeddaf. Un dydd Sul roedd o a'i gyfeillion yn cerdded trwy ardal y Wahring pan welson nhw eu ffrind Tieze yn eistedd yn darllen llyfr yn nhafarn Zum Biersack. Penderfynodd pawb oedi yn y fan a'r lle a dechreuodd Schubert fyseddu trwy lyfr Tieze. Yn sydyn, gan bwyntio at gerdd yn y llyfr, gwaeddodd Schubert: "Mae alaw fendigedig wedi dod i mi. Dyna biti nad oes gen i dudalen o bapur erwydd efo mi." Cododd rhywun y fwydlen a sgwennu llinellau'r erwydd ar y cefn gan ddweud, "Sgwenna ar hwn." Ac felly, ynghanol rhialtwch pnawn Sul, yn sŵn chwaraewyr ffidil, dawnswyr a chlebar pobol, y lluniodd Schubert un o'i alawon prydferthaf – 'Ständchen' (Serenâd).

♫

Roedd y cyfansoddwr Ffrengig **Fauré** yn hoff iawn o ferched o Loegr. "Mae Llundain," meddai un tro, "yn llawn barddoniaeth a breuddwydion; gwaith a rhyddiaith sydd ym Mharis."

Un ferch roedd o'n hoff iawn ohoni oedd y gontralto Mrs George Campbell Swinton, ac fe aeth â hi ar wyliau i Gastell Llandochau, Llanfair, ger y Bontfaen yn ne Cymru. Yno fe gyfansoddodd Nocturne Rhif 7, yn gyflwynedig i Mrs Swinton.

Mrs George Campbell Swinton

♫

Tra oedd **Rossini** yn hoffi cael gwydraid o siampên cyn eistedd i lawr i gyfansoddi, roedd raid i **Haydn** wisgo'r fodrwy ddeiamwnt yr oedd Ffredric Fawr wedi'i rhoi iddo. Dim ond rhwng cynfasau cynnes y gallai **Paisiello** ddenu'r awen, tra oedd **Gluck** yn gorfod cael ei biano wedi'i symud allan i'r caeau efo dwy botel o siampên y naill ochr a'r llall iddi. Allai **Cimarosa** na **Villa-Lobos** ddim gweithio oni bai bod swn teulu a chyfeillion o'u cwmpas, ac roedd **Gounod** yn cyfansoddi efo'i draed mewn twb o ddwr oer oherwydd bod ei ben yn mynd yn chwilboeth yn ystod y broses greu.

♫

Cwestiwn: Beth sy'n gyffredin rhwng y gân 'Homeward Bound' gan Paul Simon a'r emyn-dôn 'Tydi a roddaist' gan **Arwel Hughes**? Yr ateb yw bod y ddau ddarn wedi'u cyfansoddi ar blatfform gorsaf reilffordd. Roedd Paul Simon yn teithio o gwmpas clybiau Prydain yn ceisio cael gwaith perfformio ac yn aros am drên yn stesion Widnes yn Swydd Caer pan ddaeth y syniad am ei gân enwog sy'n cyfleu'r hiraeth am fynd adre. Yng ngorsaf Amwythig yr oedd Arwel Hughes, efo dim ond ychydig o amser ar ôl ganddo i osod geiriau ei gyd-weithiwr yn y BBC, T Rowland Hughes, ar gyfer drama radio oedd i'w darlledu ar Ddydd Gŵyl Dewi, 1938. Cwblhaodd y gerddoriaeth mewn 'tuag ugain munud'.

♫

Cole Porter:
"Yr unig ysbrydoliaeth i mi ydy galwad ffôn oddi wrth gynhyrchydd."

BYWGRAFFIADAU BYR

ADAM, Adolphe (1803–1856)

Cyfansoddwr Ffrengig. Astudiodd yr organ a chyfansoddi yn y Conservatoire ym Mharis. Ar ôl llwyddiant efo opera ysgafn yn 28 oed, fe luniodd ddwy opera bob blwyddyn ar gyfartaledd, hyd ei farw, cyfanswm o 53 o operâu. Ym 1847 fe sefydlodd y Théâtre National, ond y flwyddyn ganlynol fe gollodd ei holl arian oherwydd y Chwyldro Ffrengig. Bu'n dlawd am weddill ei oes ac fe barhaodd i gyfansoddi er mwyn clirio'i ddyledion. Ymysg ei gerddoriaeth enwocaf mae'r bale *Giselle*, y gân Nadolig boblogaidd 'Cantique de Noël' ac yng Nghymru, y cytgan i gorau meibion 'Comrades in Arms'.

APPLETON, Syr Edward (1892–1965)

Ffisegydd enwog a aned yn Bradford, Swydd Efrog, ac a fu'n Athro ym Mhrifysgolion Llundain a Chaergrawnt. Enillodd Wobr Nobel ym 1947 ac fe ddiweddodd ei yrfa fel Prifathro ac Is-ganghellor Prifysgol Caeredin.

AUBER, Daniel (1782–1871)

Cyfansoddwr Ffrengig. Dan orfodaeth ei dad, masnachwr lluniau ym Mharis, fe aeth yn ddyn ifanc i Lundain i astudio busnes, ond roedd yn troi mewn cylchoedd cerddorol yr un pryd ac yn cyfansoddi ychydig o ganeuon. Ar ôl dychwelyd i Ffrainc fe drodd yn gyfan gwbl at gerddoriaeth, gan gyfansoddi tua 50 o operâu. Ym 1842 fe'i penodwyd ar staff y Paris Conservatoire, a bu yno hyd ei farw yn 89 oed.

BACH, Johann Sebastian (1685–1750)

Almaenwr sy'n cael ei ystyried gan rai fel y cyfansoddwr mwyaf erioed a'r un sy'n diffinio'r cyfnod Baróc yn hanes cerdd. Treuliodd y rhan fwyaf o'i oes yn gweithio i'r eglwys Lutheraidd yn Leipzig, lle roedd yn organydd ac yn Gyfarwyddwr Cerdd St Thomas. Roedd cyfansoddi gweithiau corawl a rhai i'r organ ar gyfer y gwasanaethau, felly, yn ddyletswydd gyson, ac fe wnaeth hynny ar garlam – 200 o gantawdau, cannoedd o weithiau offerynnol, ynghyd â darnau corawl estynedig fel yr Offeren yn B leiaf. Bu'n briod ddwywaith – y tro cyntaf â'i gyfnither Maria Barbara, a'r ail waith â'r gantores Anna Magdalena, oedd 17 mlynedd yn iau nag o. Ganwyd cyfanswm o 20 o blant iddo, yn eu mysg y cyfansoddwyr Carl Philipp Emanuel Bach, Johann Christian Bach, a Wilhelm Friedemann Bach. Mae blwyddyn ei farw, 1750, yn cael ei chyfri gan gerddolegwyr yn ddiwedd swyddogol y cyfnod Baróc.

BARBIROLLI, Syr John (1899–1970)

Arweinydd a aned yn Llundain ond a hanai o deulu Eidalaidd cerddorol, â'i dad a'i ewythr wedi chwarae yn La Scala, Milan, o dan Toscanini. Ar ôl astudio'r cello yn yr Academi Gerdd Frenhinol, bu'n aelod o Gerddorfa Symffoni Llundain cyn troi at arwain. Fe'i cysylltir yn bennaf â Cherddorfa Hallé ym Manceinion, y bu'n ei harwain am 25 mlynedd.

BAX, Arnold Syr (1883–1953)

Cyfansoddwr o Loegr a ddaeth yn hoff iawn o Iwerddon, lle byddai'n treulio rhan o bob blwyddyn, bron, gan gyfrannu cerddi i gylchgronau Gwyddelig o dan y ffugenw Dermot O'Byrne. Mewn oes o ddatblygiadau cerddorol blaengar fe gadwodd Bax at arddull ramantaidd gan greu darnau disgrifiadol angerddol fel *Tintagel* a *The Garden of Fand*. Cyfansoddodd hefyd saith o symffonïau. Cafodd ei urddo'n farchog ym 1937 a'i wneud yn Feistr Cerddoriaeth y Brenin ym 1942. Ysgrifennodd hunangofiant difyr iawn, *Farewell My Youth*, ond sydd, am ryw reswm, yn dod i ben ym 1914.

BEECHAM, Syr Thomas (1879-1961)

Arweinydd a aned yn St Helens, ger Lerpwl, yn fab i Syr Joseph Beecham, perchennog cwmni enwog Beecham's Pills. Er iddo gael gwersi preifat yma ac acw, cerddor hunanaddysgedig oedd o yn y bôn, gan ffurfio cerddorfa amatur er difyrrwch iddo'i hun – St Helens Orchestral Society – ym 1899. Yn ddiweddarach datblygodd i fod yn arweinydd cerddorfeydd sefydledig gyda chwmnïau opera. Gyda help ariannol y teulu gallodd gymryd yr awenau yng nghwmni Covent Garden ym 1901, lle bu'n arwain y cynhyrchiadau cyntaf ym Mhrydain o weithiau gan Wagner a Richard Strauss. Sefydlodd ei gwmni opera ei hun – Beecham Opera Company – ac fe'i hurddwyd yn farchog ym 1916. Erbyn 1920 roedd Beecham yn fethdalwr oherwydd ei holl fentrau cerddorol drudfawr, ond fe ddychwelodd ymhen ychydig flynyddoedd gan arwain prif gerddorfeydd a chwmnïau opera Prydain a'r Unol Daleithiau. Roedd yn enwog am ei ddehongliadau o weithiau Handel, Mozart a Schubert, a bu'n hynod bwysig yn sicrhau perfformiadau o gerddoriaeth cyfansoddwyr cyfoes y cyfnod, fel Delius, Richard Strauss a Sibelius. Roedd yn enwog hefyd am ei hiwmor a'i ffraethineb, ac fe gyhoeddodd ei hunangofiant – *A Mingled Chime* – ym 1943. Priododd deirgwaith: â Utica Celestia Wells ym 1903; yna, ar ôl ysgariad, â Betty Hamby ym 1943. Wedi ei marwolaeth hi ym 1957 fe briododd Beecham ei ysgrifenyddes ifanc, Shirley Hudson, ym 1959.

BEETHOVEN, Ludwig van (1770-1827)

Cyfansoddwr Almaenig a aned yn Bonn ond a symudodd i Fienna ym 1792, lle bu'n astudio efo Haydn. Gwnaeth argraff yno fel pianydd yn ogystal â chyfansoddwr a chyn hir roedd rhai o'i weithiau'n cael eu cyhoeddi. Erbyn 1801 roedd o'n cael problemau efo'i glyw ac o fewn ychydig amser roedd o'n gwbl fyddar. Ar waethaf hyn, ac yn wyneb llawer o broblemau ariannol a theuluol – a'i fywyd carwriaethol rhwystredig – fe luniodd rai o symffonïau a chonsiertos enwoca'r byd. Fe ystyrir Beethoven fel y llinyn cysylltiol rhwng yr oes Glasurol a'r un Ramantaidd, gan ehangu maint a gorwelion y gerddorfa. Yn ei weithiau lleisiol a chorawl fe wthiodd y terfynau traddodiadol gan ddiystyru cyfyngiadau arferol cantorion a'u trin fel offerynnau. Yn wahanol i Mozart, roedd yn llafurio'n hir uwchben ei waith, gan wneud nodiadau a chynlluniau di-ri cyn creu'r cyfanwaith gorffenedig. O safbwynt politicaidd roedd o'n cytuno â delfrydau'r Oes Oleuedig, ac yn wreiddiol fe gyflwynodd ei Drydedd Symffoni i Napoleon, yn y gred y byddai hwnnw'n cynnal daliadau'r Chwyldro Ffrengig. Yn ddiweddarach, ar ôl clywed am fwriadau imperialaidd Napoleon, fe groesodd y cyflwyniad allan a newid y teitl i 'Eroica'. Yn symudiad olaf ei Nawfed Symffoni mae Beethoven wedi gosod geiriau cerdd gan Schiller, yr 'Awdl i Lawenydd' – emyn gobeithiol sy'n clodfori brawdoliaeth y ddynoliaeth.

BERG, Alban (1885–1935)

Cyfansoddwr o Awstria, ac aelod o'r hyn a elwir yn Ail Ysgol Fienna, gyda Schöenberg a Webern. Ychydig iawn o addysg gerddorol ffurfiol a gafodd cyn cyfarfod â Schöenberg ym 1904. Pan berfformiwyd rhai o'i ganeuon cynnar ym 1913, fe fu cymaint o stŵr yn y neuadd fel y bu raid dod â'r cyngerdd i ben. Ni pherfformiwyd y caneuon wedyn hyd 1952. Ei ddau brif waith ydi'r Consierto i'r Ffidil a'i opera, *Wozzeck*.

BERLIN, Irving (1888–1989)

Cyfansoddwr caneuon poblogaidd Americanaidd a ddechreuodd ei yrfa gerddorol yn bysgio ar strydoedd Efrog Newydd, ac a fu'n gweithio fel gweinydd tŷ bwyta a oedd hefyd yn canu. Cyhoeddwyd ei gân gyntaf ym 1907 a phedair blynedd yn ddiweddarach fe gafodd ei lwyddiant rhyngwladol cyntaf efo Alexander's Ragtime Band. Yn ystod ei yrfa fe gyfansoddodd dros 1,000 o ganeuon, ynghyd â sioeau llwyfan ar gyfer Broadway a Hollywood. Ar achlysur ei ben-blwydd yn gant oed, fe drefnwyd cyngerdd teyrnged arbennig yn Carnegie Hall gyda Frank Sinatra, Leonard Bernstein ac eraill. Ychydig dros flwyddyn yn ddiweddarach fe fu farw yn ei gwsg, yn 101 oed.

BERLIOZ, Hector (1803–1869)

Cyfansoddwr Ffrengig a ddechreuodd fel myfyriwr meddygaeth dan berswâd ei dad (a oedd yn ddoctor) ond a adawodd ei gwrs meddygaeth ar ôl tair blynedd i ganolbwyntio ar gerddoriaeth, gan astudio yn y Paris Conservatoire. Yn ystod y Chwyldro Ffrengig fe gyfansoddodd ddarn hunangofiannol – y *Symphonie Fantastique* – sy'n disgrifio'i obsesiwn gyda'r actores Shakespearaidd Wyddelig, Harriet Smithson. Er ei bod yn meddwl ar y dechrau ei fod yn wallgof, ymhen rhai blynyddoedd fe gytunodd i'w briodi. Mae Berlioz yn cael ei ystyried yn gynrychiolydd perffaith o'r oes Ramantaidd, efo'i fywyd tymhestlog, ei fuddugoliaethau dramatig a'i fethiannau digalon, i gyd yn cael eu mynegi yn ei gerddoriaeth hynod emosiynol. Roedd ei ddefnydd dychmygus o offerynnau'r gerddorfa yn ddylanwadol dros ben ar gyfansoddwyr diweddarach fel Mahler a Richard Strauss.

BERNSTEIN, Leonard (1918–1990)

Cerddor Americanaidd aml-dalentog, arweinydd, pianydd, cyfansoddwr, addysgwr, awdur a darlledwr hynod lwyddiannus. Daeth ei gyfle mawr ym 1943 pan safodd yn y bwlch ychydig oriau'n unig cyn cyngerdd gyda Cherddorfa Philharmonig Efrog Newydd, a'u harweinydd arferol Bruno Walter wedi'i daro'n wael. Gan fod y cyngerdd yn cael ei ddarlledu'n fyw ar y radio ar draws America fe ddaeth enw Bernstein i sylw cenedlaethol yn llythrennol dros nos. Er mai'r sioe *West Side Story* yw ei gyfansoddiad mwyaf adnabyddus, fe luniodd Bernstein weithiau mwy swmpus hefyd, yn symffonïau, gweithiau corawl ac operâu. Ac er ei fod yn aml yn treulio cyfnodau i ffwrdd o'r neuadd gyngerdd yn creu, roedd y dynfa i ymddangos o flaen y cyhoedd yn gryf, ac fe deithiodd y byd yn arwain rhai o'r cerddorfeydd gorau. Arbenigodd ar ddehongli gweithiau Mahler, gan dynnu pob owns o angerdd ac emosiwn o fiwsig dirdynnol y cyfansoddwr hwnnw. Roedd ei gampau corfforol a'i ystumiau wrth arwain yn plesio rhai, a chythruddo eraill.

BIZET, Georges (1838–1875)

Cyfansoddwr Ffrengig a aned i deulu cerddorol, felly nid yw'n gymaint o syndod iddo fynd yn fyfyriwr i'r Paris Conservatoire yn naw oed. Roedd ei opera gyntaf, Y Pysgotwyr Perl, yn fethiant llwyr, ac felly hefyd y rhan fwyaf o'i weithiau diweddarach. Doedd hyd yn oed ei gampwaith, Carmen, ddim yn plesio'n llwyr ac fe fu farw Bizet o drawiad ar y galon yn ystod y gyfres o berfformiadau cyntaf ohoni. Roedd yn 36 oed.

BJÖRLING, Jussi (1911–1960)

Tenor o Sweden a oedd yn un o gantorion enwocaf i gyfnod. O deulu cerddorol, roedd o, ei dad a'i frodyr yn berfformwyr teithiol poblogaidd, yn eu gwlad enedigol a'r Unol Daleithiau. Dechreuodd ei yrfa operatig yn Stockholm, cyn symud ymlaen i'r Met yn Efrog Newydd, lle roedd yn eithriadol o boblogaidd. Er nad oedd yn actor naturiol, roedd ei ganu diymdrech a'i lais pur a glân yn apelio'n fawr at gynulleidfaoedd, ac fe fu gwerthu mawr ar ei recordiau niferus, yn enwedig yr un lle mae'n canu'r ddeuawd enwog o'r opera Y Pysgotwyr Perl gyda Robert Merrill. Cyhoeddwyd cofiant iddo wedi'i ysgrifennu'n rhannol gan ei weddw, Anna-Lisa Björling, ym 1987 – My Life with Jussi – lle dadlennir gwybodaeth am broblem alcoholiaeth y tenor.

BÖHM, Karl (1894–1981)

Arweinydd o Awstria a ddechreuodd ei yrfa trwy ddilyn ei dad i fyd y gyfraith ond a aeth ymlaen yn ddiweddarach yn fyfyriwr cerdd i'r Vienna Conservatoire. Bu'n arweinydd rhai o gerddorfeydd a chwmnïau opera enwocaf Ewrop, ond cafodd beth trafferth wedi'r Ail Ryfel Byd oherwydd ei gysylltiadau honedig â'r blaid Natsïaidd.

BOULT, Syr Adrian (1889–1983)

Arweinydd dawnus a aned yng Nghaer ac a astudiodd yn Rhydychen a Leipzig. Bu'n brif arweinydd nifer o gerddorfeydd enwocaf Prydain ac yn athro ar staff y Coleg Cerdd Brenhinol yn Llundain. Ysgrifennodd ddau lyfr ar dechneg arwain.

BRAHMS, Johannes (1833–1897)

Cyfansoddwr Almaenig sy'n cael ei ystyried fel olynydd naturiol Beethoven. Cafodd ei wersi cerdd cyntaf gan ei dad, a oedd yn chwaraewr bas dwbl. Yn ifanc iawn, bu'r bachgen yn helpu i gynnal y teulu'n ariannol drwy chwarae'r piano mewn tafarndai, tai bwyta a phuteindai yn Hamburg. Ar ôl symud i Fienna ym 1862 dechreuodd ganolbwyntio'n gyfan gwbl ar gyfansoddi, ac er iddo gael peth llwyddiant, roedd rhai yn ystyried ei gerddoriaeth yn henffasiwn o'i chymharu â gweithiau Liszt a Wagner. Mewn oes Ramantaidd roedd Brahms yn tueddu i gadw'n geidwadol glòs at y ffurfiau clasurol. Ac yntau'n ffrind mynwesol i'r cyfansoddwr Robert Schumann, roedd y sefyllfa'n hynod eironig gan fod Brahms mewn cariad mawr â'i wraig Clara. Ychwanegwyd at dristwch y sefyllfa pan aed â Schumann i'r gwallgofdy ar ôl ceisio lladd ei hun, ac i Brahms wedyn weithredu bron fel penteulu.

BRIDGEWATER, Leslie (1893–1975)

Pianydd a chyfansoddwr a aned yn Halesowen yng nghanolbarth Lloegr. Bu'n gyfrifol am lunio'r gerddoriaeth ar gyfer nifer o ffilmiau yn ystod 30au a 40au yr 20fed ganrif.

BRUCKNER, Anton (1824–1896)

Cyfansoddwr o Awstria a dderbyniodd ei addysg gerddorol gynharaf ym mynachlog St Florian, ac yna mewn coleg i athrawon yn Linz. Yn ddiweddarach bu'n athro cynorthwyol yn y fynachlog, yn ogystal ag organydd. Moment dyngedfennol yn ei hanes oedd teithio i Munich ym 1865 i fod yn bresennol ym mherfformiad cyntaf yr opera *Tristan und Isolde* gan Wagner. Bu'r profiad yn ddylanwad aruthrol arno a daeth i hanner addoli Wagner. Yn raddol, a thros gyfnod o nifer o flynyddoedd, datblygodd Bruckner ei arddull arbennig ei hun fel cyfansoddwr, gyda'i ffydd grefyddol gadarn yn cael mynegiant cyson yn ei gerddoriaeth. Oherwydd ei ymarweddiad gwladaidd, trwsgl, fe gymerodd nifer o flynyddoedd cyn bod gwir werth ei gyfraniad yn cael ei werthfawrogi. Ond, **fe** ddigwyddodd yn raddol, yn enwedig ar ôl i Bruckner symud i fyw i Fienna, lle bu'n athro yn y Conservatoire ac yn ddarlithydd yn y Brifysgol. Mae ei wyth symffoni yn cael eu hystyried yn weithiau urddasol, fel eglwysi cadeiriol y byd cerdd, yn llawn duwioldeb a diffuantrwydd.

BÜLOW, Hans von (1830–1894)

Arweinydd (a phianydd a chyfansoddwr) Almaenig a fu'n allweddol oherwydd iddo arwain perfformiadau cyntaf rhai o operâu Wagner, fel *Tristan und Isolde* a *Die Meistersinger von Nürnberg*. Hyd yn oed pan fu i'w wraig Cosima ei adael i fyw efo Wagner, fe arhosodd yn driw i achos y cyfansoddwr. Bu hefyd yn gyfrifol am arwain perfformiadau cyntaf darnau enwog gan Tchaikovsky a Richard Strauss, a fo gafodd y syniad o gael pumed tant i'r bas dwbl, yn ogystal â phedalau i'r timpani.

BUMBRY, Grace (g.1937)

Cantores Americanaidd groenddu a ddechreuodd ei gyrfa fel mezzo-soprano ond a ddatblygodd i fod yn soprano uchel yn ystod y 1970au. Daeth i sylw rhyngwladol ym 1961, a hithau'n 24 oed, pan gafodd ran yn un o operâu Wagner yn Bayreuth, y person croenddu cyntaf i ymddangos yno. Roedd sefydliadau ceidwadol yr Almaen wedi'u harswydo a daeth y gantores yn adnabyddus dros nos. Golygodd yr enwogrwydd hwn na fu raid iddi byth ganu rhannau operatig cynorthwyol am weddill ei hoes.

BUSCH, Fritz (1890–1951)

Arweinydd Almaenig a fu'n gysylltiedig â rhai o gerddorfeydd a chwmnïau opera mawr y byd. Oherwydd iddo ddangos gwrthwynebiad cyhoeddus i'r Natsïaid fe gollodd ei swydd gyda chwmni opera yn Dresden ym 1933, ond wedi hynny bu'n hynod lwyddiannus yn Ne America, Denmarc, yr Unol Daleithiau a Lloegr.

BUSONI, Ferruccio (1866–1924)

Cyfansoddwr, pianydd ac arweinydd o'r Eidal. O deulu cerddorol, cafodd wersi gan ei fam a'i dad, a rhoddodd ei berfformiadau cyhoeddus cyntaf fel pianydd ac yntau'n ddim ond saith oed. Mae'r rhan fwyaf o'i gyfansoddiadau ar gyfer y piano, ac mae ei Gonsierto i'r Piano yn anarferol oherwydd ymddangosiad côr meibion yn y symudiad olaf.

CAGE, John (1912–1992)

Cyfansoddwr blaengar Americanaidd a fu'n arbrofi gyda chreu synau offerynnol gwahanol i'r arfer, yn enwedig ar y piano, lle gofynnid i'r perfformiwr daro nid yn unig yr allweddell ond hefyd rannau oddi mewn i gorff yr offeryn. Bu hefyd yn flaenllaw ym maes cerddoriaeth electronig a miwsig aleatoraidd, lle mae elfennau hap a damwain yn rhan bwysig o'r perfformiad. Yn ychwanegol at ei ddiddordebau cerddorol, roedd Cage hefyd yn athronydd, yn awdur ac yn gasglwr madarch.

CALLAS, Maria (1923–1977)

Wedi'i geni yn Efrog Newydd a'i magu yng ngwlad Groeg, fe ddaeth Callas yn un o sopranos enwoca'r byd, gan ennill iddi'i hun y llysenw *La Divina*. Bu llawer o ddadlau ynghylch ansawdd ei llais, gyda rhai'n ei ddisgrifio fel rhywbeth hyll, dilewyrch, tra bod eraill yn clodfori ei dywyllwch dramatig. Yn sicr, doedd dim amheuaeth am ei dawn i gyfleu tensiwn a chymeriad mewn opera, yn enwedig yr elfennau trasig mewn rhannau fel Norma a Tosca. Roedd ei bywyd personol bron yr un mor gythryblus â'i dehongliadau llwyfan, gyda phyliau o dymer ddrwg a strancio, perthynas dymhestlog â nifer o gyd-gantorion, yn ogystal â'r garwriaeth hynod gyhoeddus ac anhapus gydag Aristotle Onassis. Fe barhaodd yr helyntion ar ôl ei marwolaeth wrth i rai honni ei bod wedi cael ei llofruddio. Fodd bynnag, un peth sydd yn sicr: fe ladratawyd ei llwch o'i bedd yn y fynwent ym Mharis, ac yna, ar ôl ei ddarganfod eto, cafodd ei wasgaru ar y môr ger Gwlad Groeg.

CARUSO, Enrico (1873–1921)

Tenor Eidalaidd ymysg yr enwocaf erioed. O deulu tlawd yn Naples, fe ddechreuodd trwy ganu ar y strydoedd ac mewn eglwysi i ennill arian i dalu am wersi. Ar ôl ymddangos mewn operâu yn lleol ac yna yn La Scala, daeth yn brif atyniad y Met yn Efrog Newydd. Bu'n ffodus oherwydd i'w yrfa operatig gyd-fynd â datblygiad recordio, ac roedd gyda'r cyntaf i wneud recordiau ffonograff. Gwnaeth gannoedd ohonyn nhw, gan ennill miliynau o ddoleri.

CASALS, Pablo (1876–1973)

Chwaraewr cello (ac arweinydd a chyfansoddwr) o Gatalonia. Bu'n gyfrifol am ddod â chyfresi digyfeiliant cello J S Bach i sylw rhyngwladol. Ysgrifennodd hunangofiant, *Joys and Sorrows: Reflections,* ym 1973.

CATALANI, Angelica (1780–1849)

Cantores opera Eidalaidd a oedd yn enwog am ei phrydferthwch yn ogystal â'i llais soprano gwych, oedd yn gallu ymestyn dros dri wythfed. Roedd galw mawr am ei gwasanaeth mewn sawl gwlad dros Ewrop, ac fe gynigiodd Napoleon gyflog o 100,000 ffranc iddi os byddai'n aros yn Ffrainc. Ond, gan nad oedd yn hoff iawn o'r ymherawdr, fe wrthododd a mynd i Brydain, lle'r enillodd ffortiwn mewn ffioedd. Ar yr un pryd roedd hi'n adnabyddus am ei haelioni tuag at achosion da, ac ar ddiwedd ei gyrfa sefydlodd ysgol ganu i ferched, lle nad oedd yr un o'r disgyblion yn talu am ei hyfforddiant.

CHALIAPIN, Feodor (1873–1938)

Un o faswyr enwocaf Rwsia a ddaeth yn un o gantorion mwya'r byd ar ddechrau'r 20fed ganrif. Ei ran operatig enwocaf oedd yr un yn *Boris Godunov* a fo yn anad neb a fu'n gyfrifol am boblogeiddio gweithiau operatig Rwsiaidd yn y gorllewin. Cyhoeddwyd cofiant iddo, *Man and Mask: Forty Years in the Life of a Singer,* ym 1932, ac mae nifer o'i recordiau yn dal ar gael heddiw.

CHERUBINI, Luigi (1760–1842)

Cyfansoddwr a aned yn yr Eidal ond a dreuliodd y rhan fwyaf o'i oes yn Ffrainc. Lluniodd tua 30 o operâu, ond ar ôl cweryl efo Napoleon, fe drodd tuag at gerddoriaeth gerddorfaol ac eglwysig am gyfnod. Ymysg ei weithiau gorau mae ei Requiem yn C leiaf, gwaith yr oedd neb llai na Beethoven yn ei edmygu. Serch hynny, fe gyfansoddodd Cherubini Requiem arall, yng nghyweirnod D leiaf y tro hwn, ar gyfer ei berfformio yn ei angladd ei hun. Dyma'r gwaith sydd ar gyfer côr meibion − a hynny oherwydd bod yr awdurdodau eglwysig wedi beirniadu'r cyfansoddwr am gynnwys lleisiau merched yn y Requiem flaenorol.

CHOPIN, Frédéric (1810–1849)

Cyfansoddwr a phianydd o Wlad Pŵyl a adawodd ei wlad enedigol i fyw ym Mharis ym 1831, yn rhannol oherwydd ei obeithion fel cerddor ond hefyd oherwydd ei fod yn anobeithio am y gorthrwm politicaidd yn ei famwlad. Cyn hir roedd Chopin yn swyno cynulleidfaoedd y *salons* ffasiynol gyda'i berfformiadau piano hudolus, â'i ddelwedd ramantus yn cael ei hyrwyddo gan ei ymddangosiad golygus a'i iechyd bregus (bronchitis, niwmonia ac, yn ddiweddarach, y ddarfodedigaeth). Ymysg ei gyfathrachau carwriaethol niferus, bu un yn destun cryn sylw, sef yr un gyda'r nofelydd Aurore Dudevant, a oedd yn defnyddio'r llysenw George Sand. Mae pob un o gyfansoddiadau Chopin yn cynnwys rhan i'r piano.

CIMAROSA, Domenico (1749–1801)

Cyfansoddwr Eidalaidd oedd yn canolbwyntio ar opera yn bennaf (tua 90 i gyd), ond a luniodd nifer o weithiau crefyddol hefyd. Yn un o gerddorion mwyaf poblogaidd ei oes, roedd rhai'n honni bod ei weithiau gorau cystal â rhai Mozart.

COLERIDGE, S T (Samuel Taylor) (1772–1834)

Bardd o Loegr a ddaeth yn drwm o dan ddylanwad Wordsworth, heb sôn am opiwm, y bu'n gaeth iddo am ran helaeth o'i fywyd.

COPLAND, Aaron (1900–1990)

Cyfansoddwr Americanaidd arloesol a aned yn Brooklyn, Efrog Newydd, i rieni Rwsiaidd nad oedd erioed wedi bod mewn cyngerdd. Ar ôl methu cael gwersi cerdd yn lleol, teithiodd i Ewrop i astudio gyda Nadia Boulanger, a datblygu arddull oedd yn cynnwys elfennau o gerddoriaeth werin Americanaidd a rhythmau jazz.

CORELLI, Franco (1921–2003)

Tenor Eidalaidd oedd yn adnabyddus am ei lais arwrol, ei bresenoldeb carismataidd ar lwyfan a'i ymddangosiad golygus. I bob pwrpas canwr hunanaddysgedig oedd o, ac yntau'n gwrando ar recordiau Caruso a Gigli fel modelau. Erbyn y 1960au roedd yn cael ei ystyried yn un o denoriaid gorau'r byd, ond fe ymddeolodd o'r llwyfan ym 1976 yn ddim ond 55 oed.

COWARD, Noel (1899–1973)

Actor, dramodydd, a chyfansoddwr (miwsig poblogaidd) o Loegr.

CUGAT, Xavier (1900–1990)

Arweinydd band a aned yn Barcelona, a fagwyd yn Cuba, ond a ymfudodd i'r Unol Daleithiau yn 15 oed. Dechreuodd fel chwaraewr ffidil clasurol ond yna fe drodd at gerddoriaeth ysgafn, ac ef oedd un o'r rhai cyntaf i gyflwyno elfennau Lladin i'r cyfrwng. Gwnaeth yr un peth gyda phob ffasiwn gerddorol newydd, er enghraifft y conga, y mambo, y cha-cha-cha a'r twist.

CUI, César (1835–1918)

Cyfansoddwr a beirniad cerddorol rhan-amser o Rwsia, ac aelod o'r cylch o gyfansoddwyr a elwid 'Y Pump'.

DEBUSSY, Claude (1862–1918)

Cyfansoddwr Ffrengig oedd yn gwrthryfela yn erbyn ei athrawon yn y Paris Conservatoire oherwydd ei fod yn casáu'r rheolau traddodiadol ac yn benderfynol o ddilyn ei lwybr ei hun.

Canolbwyntiodd ar greu lliwiau cerddorol llawn awyrgylch yn hytrach na dilyn ffurfiau traddodiadol, ac yn raddol fe dderbyniwyd ei weithiau fel darluniau argraffiadol hynod effeithiol.

DELIUS, Frederick (1862 –1934)

Cyfansoddwr a aned yn Bradford, Swydd Efrog, i rieni Almaenig oedd wedi dod i Loegr i sefydlu busnes yn y diwydiant gwlân. Er i'w dad geisio'i rwystro rhag dilyn gyrfa gerddorol, ildiodd yn y diwedd a bu Delius yn fyfyriwr yn y Conservatoire yn Leipzig. Treuliodd ran fwyaf ei oes ym mhentref Grez-sur-Loing, ger Fontainbleau yn Ffrainc, yn cyfansoddi cerddoriaeth mewn arddull Ramantaidd argraffiadol, ond, oherwydd afiechyd cynyddol oedd yn ei barlysu, bu'n rhaid iddo gael help y cerddor o Sais, Eric Fenby, i ysgrifennu nodau ei weithiau diweddar ar bapur ar ei ran. Er iddo gael ei gladdu mewn mynwent ger Grez ym 1934, y flwyddyn ganlynol fe wireddwyd dymuniad Delius o gael ei gladdu 'mewn mynwent dawel yn ne Lloegr' ac y mae ei fedd bellach ar dir Eglwys San Pedr, Limpsfield yn Surrey.

DONIZETTI, Gaetano (1797–1848)

Cyfansoddwr Eidalaidd a anwyd mewn tlodi mawr mewn seler ger Bergamo. Lluniodd oddeutu 75 opera ac mae'n cael ei ystyried yn un o'r cyfansoddwyr cyflymaf erioed. Datblygodd ymhellach yr arddull operatig oedd wedi nodweddu gweithiau Rossini ac a elwid yn *bel canto* – canu prydferth.

DVOŘÁK, Antonín (1841–1904)

Cyfansoddwr o Bohemia a anwyd yn fab i dafarnwr a chigydd pentref, a oedd hefyd yn chwarae'r zither. Dysgodd chwarae'r ffidil yn lleol ac yn 16 oed aeth i Brâg i astudio ymhellach. Ar ôl cyfnod fel aelod o gerddorfa'r cwmni opera cenedlaethol yno, dechreuodd gyfansoddi o ddifri gan ennill gwobrau yn gyson. Cyn hir roedd ei weithiau'n cael eu cyhoeddi yn Fienna a Llundain yn ogystal â Phrâg, a'i arddull genedlaethol yn cyfleu nodweddion cerddoriaeth werin a chwedlau ei wlad. Fe'i penodwyd yn athro cyfansoddi yn y Conservatoire ym Mhrâg ym 1891, a blwyddyn yn ddiweddarach derbyniodd wahoddiad i fod yn bennaeth y Conservatoire Cenedlaethol yn Efrog Newydd. Dychwelodd adre ar ôl tair blynedd, a diweddodd ei yrfa fel Pennaeth y Conservatoire ym Mhrâg, swydd y bu ynddi hyd ei farw.

ELMAN, Mischa (1891–1967)

Chwaraewr ffidil o'r Iwcrain oedd yn berchen ar alluoedd cerddorol anarferol yn blentyn ifanc. Daeth yn un o brif sêr yr offeryn yn yr 20fed ganrif gan wneud nifer fawr o recordiau llwyddiannus.

ENESCO, Georges (1881–1955)

Cyfansoddwr, feiolinydd, pianydd ac arweinydd o Romania. Yn amlwg gerddorol yn ifanc iawn, cafodd wersi cyfansoddi yn bump oed! Erbyn ei seithfed pen-blwydd roedd yn dilyn dosbarthiadau uwchraddol yn y Conservatoire yn Fienna, lle y graddiodd yn 13 oed. Wedi cyfnod yn y Conservatoire ym Mharis, lle bu'n astudio'r cello, yr organ a'r piano yn ogystal â'r ffidil, dechreuodd drefnu cyngherddau o'i weithiau ei hun. Cyn hir roedd Brenhines Romania wedi'i benodi fel cerddor yn ei llys. Yn ei gyfansoddiadau fe lwyddodd Enesco i ddefnyddio elfennau gwerinol traddodiadol gan greu sain genedlaethol nodedig iawn. Ar waetha'i holl lwyddiant fel offerynnwr a chyfansoddwr, diweddodd ei oes yn Philadelphia, mewn amgylchiadau tlodaidd iawn a'i iechyd yn fregus.

FARINELLI, Carlo Broschi (1705–1782)

Un o'r cantorion castrato Eidalaidd enwocaf erioed. Yn wahanol i'r rhelyw o rieni castrati, a oedd yn caniatáu i'r llawdriniaeth gael ei chyflawni ar eu plant fel ffordd o ddianc o'u tlodi, roedd Farinelli o deulu cefnog. Fe'i hanfonwyd i Naples i ddysgu'i grefft, ac ar ôl dechrau ei yrfa broffesiynol yn Fenis, fe gafodd lwyddiant ysgubol wrth deithio Ewrop gyfan, lle y'i gelwid yn 'Ganwr i'r Brenhinoedd'.

FAURÉ, Gabriel (1845–1924)

Cyfansoddwr Ffrengig a fu'n organydd Eglwys y Madeleine ym Mharis am gyfnod maith, ac a benodwyd yn ddiweddarach yn bennaeth y Conservatoire yno. Roedd yn adnabyddus am ei alawon hyfryd ac fe ddisgrifiwyd ei Requiem dyner fel 'suo-gân angau'.

FERRIER, Kathleen (1912–1953)

Contralto o Swydd Gaerhirfryn a adawodd yr ysgol yn 14 oed i weithio mewn gorsaf deliffonau. Ar ôl ennill gwobrau mewn gŵyl gerdd leol, fe'i perswadiwyd i gael hyfforddiant proffesiynol a chyn hir daeth i sylw rhai o arweinyddion a chyfansoddwyr mwyaf i chyfnod. Daeth ei gyrfa ddisglair i ben yn frawychus o gynnar ar ôl iddi ddioddef o gancr y fron. Bu farw'n 41 oed.

FIBICH, Zdeněk (1850–1900)

Cyfansoddwr o Tsiecoslofacia a astudiodd yn Ffrainc a'r Almaen cyn dychwelyd i'w wlad enedigol i dderbyn swydd fel arweinydd yn y Theatr Genedlaethol ym Mhrâg. Ymddeolodd ym 1881 i ganolbwyntio ar gyfansoddi, gan lunio dros 600 o ddarnau i gyd. Bu ei fywyd personol yn hynod gymhleth: ar ôl marwolaeth ei wraig, Ruzena, fe briododd Fibich ei chwaer, Betty. Ond fe'i gadawodd hi pan syrthiodd mewn cariad ag un o'i fyfyrwyr, Anežka Schulzová, a luniodd y librettos ar gyfer nifer o'i operâu.

FIELD, John (1782–1837)

Cyfansoddwr a phianydd Gwyddelig a fu'n gyfrifol am ddyfeisio ffurf y *nocturne*, y bu i Chopin ei ddatblygu a'i pherffeithio yn ddiweddarach. Bu'n bianydd llwyddiannus ym Mharis a Fienna, cyn setlo wedyn yn St Petersburg, lle bu'n athro dylanwadol ar gyfansoddwyr fel Glinka. Fel cyfansoddwr ei hun pwysleisiodd bosibiliadau'r piano fel modd i greu mynegiant telynegol a barddonol. O ran ei fywyd personol, roedd Field yn gymeriad lliwgar, yn mwynhau nifer o anturiaethau carwriaethol, ac fe wariodd ei arian sylweddol yn hawdd. Dirywiodd ei iechyd pan aeth yn gaeth i alcohol ac fe fu farw ym Moscow.

FILTZ, Anton (1733–1760)

Cyfansoddwr a chwaraewr cello Almaenig a fu'n aelod o gerddorfa enwog Mannheim yn y cyfnod Clasurol. Er iddo farw yn ifanc iawn – 26 oed – llwyddodd i gyfansoddi oddeutu 40 o symffonïau.

FÜRTWANGLER, Wilhelm (1886–1954)

Arweinydd a chyfansoddwr Almaenig oedd yn nodedig am ei arddull anghyffredin – rhyw gryndod corfforol nad oedd fel petai'n cyd-fynd â'r rhythmau dan sylw. Eto i gyd roedd yn un o arweinyddion mwyaf i gyfnod, ac yn gysylltiedig â'r canolfannau cerddorol pwysicaf – Berlin, Fienna a Bayreuth. Bu i'w benderfyniad i aros yn yr Almaen ym 1933, yn hytrach na dianc dramor fel llawer o'i gyfoedion, arwain at gyhuddiadau ei fod yn cefnogi plaid y Natsïaid, ond fe'i cafwyd yn ddieuog yn yr achosion llys wedi'r rhyfel.

GERSHWIN, George (1898–1937)

Cyfansoddwr a phianydd Americanaidd, a luniodd weithiau ar gyfer sioeau Broadway yn ogystal â'r neuadd gyngerdd glasurol – nifer ohonyn nhw o dan ddylanwad jazz. Gyda'i frawd Ira yn llunio'r geiriau, fe gyfansoddodd rai o ganeuon mwyaf poblogaidd ei gyfnod.

GESUALDO, Carlo (1566–1613)

Cyfansoddwr Eidalaidd aristocrataidd a oedd hefyd yn Dywysog Venosa a Iarll Conza. Er ei fod yn adnabyddus am lunio nifer fawr o fadrigalau emosiynol (ac erotig weithiau), mae Gesualdo yn enwocach am lofruddio'i wraig a'i chariad.

GLAZUNOV, Alexander (1865–1936)

Cyfansoddwr ac arweinydd Rwsiaidd a ddangosodd dalent anarferol yn ifanc iawn, ac yn 15 oed dechreuodd astudio gyda Rimsky-Korsakov yn y Conservatoire yn St Petersburg, gan lunio'i symffoni gyntaf ddeunaw mis yn ddiweddarach. Wedi iddo gwblhau chwe symffoni cyn bod yn 25 oed fe'i penodwyd yn athro yn y Conservatoire ond, oherwydd ei ddaliadau rhyddfrydol, fe'i diswyddwyd ym 1905 gan y gyfundrefn boliticaidd newydd. Cyn hir, fodd bynnag, roedd yn ei ôl fel pennaeth y sefydliad, er yn anhapus gyda'r ymyrraeth barhaol. Ym 1928, pan oedd ar daith i Fienna fel rhan o'r ddirprwyaeth Sofietaidd i ddathlu canmlwyddiant Schubert, fe benderfynodd Glazunov beidio â dychwelyd i'w famwlad, gan ddilyn gyrfa fel arweinydd rhyngwladol ac ymgartrefu ym Mharis ym 1932. Yn hoff iawn o'i ddiod, mae'n debyg ei fod yn arfer sipian fodca trwy biben rwber wrth ddarlithio, hyd nes ei fod yn colli pob synnwyr.

GLUCK, Christoph Willibald von (1714–1787)

Cyfansoddwr Almaenig a fu'n allweddol yn natblygiad yr opera yn y 18fed ganrif. Yn fab i goedwigwr yn Bafaria, fe geisiwyd rhoi pob rhwystr yn ei ffordd i ddysgu offeryn, felly yn 18 oed fe adawodd y cartref i astudio'r ffidil a'r cello ym Mhrâg. Dechreuodd gyfansoddi operâu ym 1741 a chyn hir roedd yn gweddnewid y cyfrwng trwy fynnu cyswllt mwy realistig rhwng y ddrama a'r gerddoriaeth, yn hytrach na'r cymeriadu diflas traddodiadol oedd yn nodweddu cantorion balch y cyfnod. Roedd Gluck yn gymaint o edmygydd o Handel fel bod darlun ohono'n hongian yn ei ystafell wely, a hwnnw'n ei ysbrydoli'n feunyddiol. Yn anffodus, doedd y gwrthwyneb ddim yn wir, gan i Handel ddweud unwaith bod ei gogydd yn gallu sgwennu gwell gwrthbwynt na Gluck. Wrth gwrs, rhaid cofio bod cogydd Handel – gŵr o'r enw Walz – yn gerddor eithaf da.

GOTTSCHALK, Louis Moreau (1829–1869)

Cyfansoddwr a phianydd Americanaidd a oedd yn un o'r rhai cyntaf i ddefnyddio alawon gwerin a rhythmau traddodiadol ei wlad yn ei weithiau. Cafodd ei ddylanwadu hefyd gan nodweddion cerddoriaeth Ynysoedd y Caribî pan aeth yno i fyw am gyfnod. Dychwelodd i'r Unol Daleithiau adeg y Rhyfel Cartref ac er mai o'r de yr hanai roedd o'n gwrthwynebu'r drefn gaethwasiaeth yn ffyrnig. Lluniodd oddeutu 300 o gyfansoddiadau, bron pob un ohonynt ar gyfer y piano, ac yn ôl y sôn roedd ei ddatganiadau wrth yr offeryn mor bwerus nes bod merched yn mynd i lesmair wrth wrando arno.

GOUNOD, Charles (1818–1893)

Cyfansoddwr Ffrengig a gafodd drafferth mawr i ddewis rhwng yr eglwys a byd yr opera. Ar ôl astudio yn y Paris Conservatoire bu'n organydd eglwysig am gyfnod, gan gyfansoddi gweithiau crefyddol yr un pryd. Yn 30 oed, dechreuodd fynychu dosbarthiadau ar gyfer yr offeiriadaeth ond yna, ar ôl cyfarfod cantores adnabyddus, fe dderbyniodd gomisiwn i gyfansoddi opera. Dyna fu ei brif faes wedyn am gyfnod gan gyrraedd uchafbwynt gyda'r opera *Faust* ym 1859. Treuliodd Gounod bum mlynedd, o 1870 ymlaen, yn Llundain fel arweinydd y sefydliad sydd bellach yn cael ei alw'n Royal Choral Society, a bu'r cyfnod yn nodedig hefyd oherwydd ei berthynas â Mrs Georgina Weldon. Yn ei flynyddoedd olaf dychwelodd Gounod at lunio gweithiau crefyddol sylweddol.

GRAINGER, Percy (1882–1961)

Cyfansoddwr a phianydd o Awstralia a ymgymerodd â'i daith gyngherddau gyntaf yn 12 oed. Yn fuan wedyn teithiodd gyda'i fam i'r Almaen i astudio ymhellach, ac yna i Lundain lle cafodd rhai o'i ddarnau cyntaf eu cyhoeddi. Ar ôl datblygu cyfeillgarwch gyda'r cyfansoddwr o Norwy, Edvard Grieg, a oedd yn genedlaetholwr brwd, penderfynodd Grainger wneud casgliad o alawon gwerin Lloegr. Teithiodd yn helaeth o gwmpas y wlad gan recordio cantorion gwerin ar y ffonograff a gwnaeth nifer o drefniannau cerddorfaol o'r alawon. Ym 1914 symudodd i'r Unol Daleithiau, lle bu'n byw weddill ei oes.

GRANADOS, Enrique (1867–1916)

Cyfansoddwr a phianydd o Gatalonia. Ar ôl astudio yn Barcelona a Pharis, gweithiodd yn gyntaf fel charaewr piano mewn tai bwyta.

Yna sefydlodd ysgol i bianyddion yn Barcelona, a ddaeth yn un o ganolfannau cerdd gorau Sbaen.

Ymddiddorodd yng nghaneuon gwerin Catalonia, ac fe fu iddynt hwythau yn eu tro ysbrydoli ei gyfansoddiadau yntau. Yn yr un modd bu paentiadau Goya yn symbyliad iddo greu cyfres o ddarnau piano o dan y teitl *Goyescas*, cyfres a gafodd ei hymestyn yn ddiweddarach i fod yn opera.

GRIEG, Edvard (1843–1907)

Cyfansoddwr a phianydd o Norwy a ddechreuodd lunio darnau yn naw oed, ar ôl derbyn ei wersi piano cyntaf gan ei fam. Yn 15 oed fe'i hanfonwyd i'r Conservatoire yn Leipzig, ond doedd yr addysg gerddorol Almaenig draddodiadol ddim yn ei siwtio. Daeth yn adnabyddus am ei arddull gerddorol wladgarol, a ysbrydolwyd gan ganeuon gwerin ei wlad.

HALÉVY, Jacques-François-Fromental-Élie (1799–1862)

Cyfansoddwr Ffrengig a ddechreuodd yn y Paris Conservatoire yn 10 oed ac a gyfansoddodd rhyw 20 opera yn ystod ei oes. Fel athro bu'n ddylanwadol iawn, gan gyfri Bizet a Gounod ymysg ei fyfyrwyr.

HANDEL, Georg Frideric (1685–1759)

Cyfansoddwr Almaenig ac un o fawrion y cyfnod Baróc. Er yn hynod dalentog wrth yr organ yn saith oed, gan gyfansoddi yn naw oed, ufuddhaodd i ddymuniadau ei dad ac astudio'r gyfraith ym Mhrifysgol Hallé ar ddechrau ei yrfa. Ond, wedi blwyddyn yno, newidiodd i astudio cerddoriaeth a dod yn chwaraewr ffidil yng ngherddorfa'r Tŷ Opera yn Hamburg. Cyn hir roedd yn cyfansoddi operâu ar gyfer y theatr honno, a dilynwyd hynny gan arhosiad yn yr Eidal gyda chynyrchiadau yno hefyd. Yn fuan ar ôl cael ei apwyntio'n gyfarwyddwr cerdd i'r llys brenhinol ym 1710 yn Hanover teithiodd i Lundain, gan aros yno'n barhaol o 1712 ymlaen. Cafodd gyflog blynyddol gan y Frenhines Anne, bu'n gyfarwyddwr yr Academi Gerdd Frenhinol ac yn rheolwr y King's Theatre. Lluniodd tua 50 opera, 23 oratorio, a thoreth o weithiau offerynnol ac eglwysig. Collodd ffortiwn drwy fethiannau cerddorol ond cyfrannodd yn helaeth i achosion dyngarol. Collodd ei olwg ym 1751, ond daliodd i gyfansoddi hyd ei farwolaeth. Fe'i claddwyd yn Abaty Westminster.

HANSLICK, Eduard (1825–1904)

Wedi'i eni ym Mhrâg, daeth yn adolygydd cerdd a beirniad cerddorol mwyaf dylanwadol ei gyfnod. Yn draddodiadol ei chwaeth, roedd yn gefnogwr brwd o waith Brahms ac yn hynod feirniadol o Wagner, Wolf a Bruckner.

HAYDN, Franz Josef (1732–1809)

Cyfansoddwr o Awstria a fu'n gyfrifol am ddatblygu ffurfiau'r symffoni a'r pedwarawd llinynnol ac a fu'n ddylanwad cryf ar Mozart a Beethoven. Mewn gwirionedd roedd o'n gyfaill i Mozart, ac fe fu'n dysgu Beethoven, er nad oedden nhw ill dau yn tynnu mlaen yn rhy dda. Treuliodd gyfran helaeth o'i oes fel cyfarwyddwr cerdd llys y teulu Esterházy, yn cyfansoddi cerddoriaeth, arwain y gerddorfa a bod yn gyfrifol am y cynyrchiadau opera. Ymwelodd â Llundain ddwywaith yn ystod ei flynyddoedd olaf, gan ennill clod ac arian sylweddol mewn cyfres o gyngherddau llwyddiannus lle perfformiwyd ei symffonïau diweddaraf. Ar ddiwedd ei oes, yn ei gartref sylweddol yn Fienna, trodd Haydn at gyfansoddi gweithiau crefyddol gan gynnwys dwy oratorio a chwe offeren. Yn ddyn llawn hiwmor, mae'n bosib mai Haydn oedd y cyfansoddwr lleiaf niwrotig ohonyn nhw i gyd.

HEIFETZ, Jascha (1901–1987)

Chwaraewr ffidil a aned yn Lithwania ac a gafodd ei wersi cyntaf yn dair oed gan ei dad, a oedd yn feiolinydd proffesiynol. Yn anarferol o dalentog, perfformiodd y Consierto i'r Ffidil gan Mendelssohn yn gyhoeddus yn saith oed, ac roedd yn ddisgybl yn y Conservatoire yn St Petersburg yn 11 oed. Tra oedd yno, perfformiodd mewn cyngerdd awyr agored o flaen cynulleidfa o 25,000. Roedd yr ymateb mor anhygoel fel y bu raid i'r heddlu amddiffyn yr unawdydd ifanc wedi'r cyngerdd. Symudodd i fyw i'r Unol Daleithiau yn ddiweddarach, lle y gwnaeth nifer fawr o recordiau.

HENSELT, Adolphe (1814–1889)

Pianydd a chyfansoddwr oedd yn cael ei ystyried cystal â Chopin a Liszt yn ei ddydd, ond gan ei fod yn dioddef o nerfau fe drodd at gyfansoddi a dysgu. Yn gymeriad eithaf ecsentrig, roedd yn byw mewn castell yn Silesia.

HERZ, Henri (1803–1888)

Pianydd hynod lwyddiannus (a chyfansoddwr) o Awstria a sefydlodd gwmni gwneud pianos ym Mharis ac a adeiladodd neuadd gyngerdd yno, yn ogystal â bod yn athro yn y Conservatoire. Fe ysgrifennodd lyfr am ei brofiadau teithio, *My Travels in America*.

HOFMANN, Józef (1876–1957)

Pianydd o alluoedd anghyffredin tu hwnt a oedd yn gallu cofio pob darn o gerddoriaeth am byth ar ôl ei chwarae unwaith. Roedd hyn yn beth da oherwydd, yn ôl y sôn, doedd Hofmann byth yn ymarfer. Roedd hefyd yn gallu perfformio darnau ar ôl clywed rhywun arall yn eu perfformio unwaith, a hynny heb weld copi o'r gerddoriaeth o gwbl. Yn ogystal â'i ddawn gerddorol roedd ganddo hefyd dalent i ddyfeisio pob math o offer mecanyddol – ar gyfer ceir, awyrennau, y byd meddygol a thechnegau recordio.

HUGHES, Arwel (1909–1988)

Cyfansoddwr ac arweinydd a aned yn Rhosllanerchrugog ac a astudiodd yn y Coleg Cerdd Brenhinol gyda Ralph Vaughan Williams. Bu'n Bennaeth Adran Gerdd BBC Cymru rhwng 1965 a 1971 a bu hefyd yn weithgar fel arweinydd gyda Chwmni Opera Cenedlaethol Cymru. Cyfansoddodd operâu ac amryw o weithiau corawl a cherddorfaol.

HUGHES, R S (1855-1893)

Cyfansoddwr Cymreig a fu'n gyfrifol am lunio rhai o'n hunawdau enwocaf. Yn enedigol o Aberystwyth, roedd yn perfformio ar y piano yn gyhoeddus yn bump oed ac roedd yn enillydd yn yr Eisteddfod Genedlaethol yn saith oed. Astudiodd yn yr Academi Frenhinol yn Llundain ond gadawodd cyn gorffen ei gwrs. Bu'n gerddor cynorthwyol yng Nghadeirlan Bangor am gyfnod ac fe fu'n cyfeilio ar y piano i rai o gantorion mwya'r cyfnod, fel Adelina Patti. Diweddodd ei oes fer fel organydd Capel yr Annibynwyr ym Methesda.

ITURBI, José (1895-1980)

Arweinydd a phianydd Sbaenaidd a ymddangosodd hefyd yn nifer o ffilmiau Hollywood.

JANÁČEK, Leoš (1854-1928)

Cyfansoddwr o wlad Tsiec a wnaeth astudiaeth fanwl o gerddoriaeth werin Moravia ac a ddefnyddiodd rai elfennau yn ei gyfansoddiadau ei hun. Lluniodd nifer o operâu llwyddiannus sy'n nodedig am gynnwys alawon sy'n efelychu rhythm a thraw yr iaith Tsiec.

JERITZA, Maria (1887-1982)

Soprano o Moravia a fu'n un o sêr tai opera mwya'r byd.

JULLIEN, Louis (1812-1860)

Arweinydd Ffrengig a astudiodd yn y Paris Conservatoire ac a fu'n gysylltiedig â sawl cerddorfa, yn Ffrainc, Llundain, yr Alban, Iwerddon a'r Unol Daleithiau. Cymeriad hynod liwgar ac ecsentrig, a oedd yn aml yn gorfod ffoi rhag ei ddyledwyr.

KANAWA, Kiri te (g.1944)

Soprano o Seland Newydd a enillodd gystadleuaeth dalent ym 1965 a'i galluogodd i gael y cyfle i astudio yn Llundain. Daeth i amlygrwydd rhyngwladol pan ganodd yng ngwasanaeth priodas Tywysog Cymru a Diana Spencer.

KARAJAN, Herbert von (1908–1989)

Arweinydd a aned yn Awstria ac un o ffigurau cerddorol mwyaf pwerus yr ugeinfed ganrif. Bu'n Gyfarwyddwr Cerdd Cerddorfa Philharmonig Berlin am 35 o flynyddoedd, yn ogystal ag ymwneud â rhai o sefydliadau cerddorol enwoca'r byd, fel Gŵyl Salzburg, Cwmni Opera Fienna a Cherddorfa Philharmonig Fienna. Yn ôl y sôn gwerthwyd tua 200 miliwn o'i recordiau.

KLEMPERER, Otto (1885–1973)

Arweinydd a chyfansoddwr Almaenig o dras Iddewig a ymfudodd i'r Unol Daleithiau pan ddaeth y Natsïaid i rym ym 1933. Bu'n gysylltiedig â rhai o gerddorfeydd a thai opera amlyca'r byd, gan arbenigo yn y repertoire Almaenig. Er iddo syrthio oddi ar y podiwm ac anafu ei hun yn ddifrifol, parhaodd i arwain drwy eistedd mewn cadair. Peryglodd ei fywyd ymhellach pan losgodd ei hun yn ddifrifol wrth smocio pibell yn ei wely a cheisio diffodd y fflamau gyda photel o wisgi.

KNAPPERTSBUSCH, Hans (1888–1965)

Arweinydd Almaenig a gafodd ei berswadio gan ei rieni i astudio Athroniaeth yn gyntaf, cyn troi at ei brif ddiddordeb. Arbenigodd ar ddehongli cerddoriaeth Wagner, Richard Strauss a Bruckner, ac yn gyffredinol fe gyfyngodd ei berfformiadau i gerddorfeydd a thai opera Awstria a'r Almaen.

KNUSSEN, Oliver (g.1952)

Cyfansoddwr ac arweinydd o Loegr a ddechreuodd gyfansoddi yn chwech oed. Yn 15 oed fe drefnwyd perfformiad o'i symffoni gyntaf gyda Cherddorfa Symffoni Llundain yn y Royal Festival Hall, gwaith y bu raid iddo ei arwain ei hun pan drawyd yr arweinydd gwreiddiol yn wael.

KODÁLY, Zoltan (1882–1967)

Cyfansoddwr Hwngaraidd a oedd ymhlith y cyntaf i wneud astudiaeth drwyadl o alawon gwerin Hwngari, ac a fu, gyda Bartók, yn gyfrifol am gyhoeddi nifer o gasgliadau ohonyn nhw. Bu hefyd yn allweddol yn natblygiad addysg gerddorol ei wlad, gan greu system oedd yn galluogi plant a phobl ifanc i fod yn llythrennog gerddorol (y Dull Kodály).

KOLODIN, Irving (1908–1988)

Adolygydd a beirniad cerdd Americanaidd.

KOTZWARA, Franz (1730–1791)

Cyfansoddwr ac offerynnwr a aned ym Mhrâg ac a ddaeth yn enwog ar draws Ewrop fel perfformiwr hynod dalentog ar y bas dwbl. Daeth yn enwocach fyth yn dilyn ei farwolaeth amheus yn Llundain.

KREISLER, Fritz (1875–1962)

Chwaraewr ffidil a chyfansoddwr o Awstria a oedd yn un o offerynwyr enwocaf i gyfnod. Ar ôl astudio yn Fienna a Pharis aeth ar daith gyngherddau i'r Unol Daleithiau, ac wedi iddo ddychwelyd ceisiodd am swydd gyda Cherddorfa Philharmonig Fienna, ond roedd yn aflwyddiannus. Parodd hyn iddo droi i astudio Meddygaeth ac yna Arlunio, cyn ymuno â'r fyddin. Dychwelodd at y ffidil ym 1899 ac o fewn ychydig roedd yn fyd-enwog. Fel cyfansoddwr, bu i Kreisler dwyllo'r cyhoedd (a'r beirniaid cerdd) am rai blynyddoedd drwy greu darnau o dan enw cyfansoddwyr cynharach, fel Tartini a Vivaldi.

LAWRENCE, Marjorie (1907–1979)

Soprano o Awstralia a oedd yn arbenigo ar berfformio rhannau o operâu Wagner. Bu'n llwyddiannus yn Ewrop ac yn yr Unol Daleithiau, ond ym 1941 ar ganol perfformiad ym Mecsico methodd aros ar ei thraed. Darganfuwyd ei bod yn dioddef o polio a bu'n gaeth i gadair olwyn weddill ei hoes, gan ei gorfodi i ganolbwyntio ar ddysgu myfyrwyr canu ar ei *ranch* yn Hot Springs, Arkansas. Cyhoeddwyd ei hunangofiant, *Interrupted Melody*, ym 1949, ac fe gynhyrchwyd ffilm yn seiliedig ar y llyfr ym 1955, efo Eleanor Parker yn portreadu'r gantores.

LEVANT, Oscar (1906–1972)

Cerddor Americanaidd amldalentog – pianydd, cyfansoddwr (cerddoriaeth glasurol a chaneuon pop), digrifwr, awdur, actor a chyflwynydd radio a theledu.

LIND, Jenny (1820–1887)

Soprano o Sweden (oedd yn cael ei hadnabod fel y 'Swedish Nightingale') a ddaeth yn hynod boblogaidd dros Ewrop ac America. Roedd hefyd yn adnabyddus am ei gwaith elusennol.

LISZT, Franz (1811–1876)

Cyfansoddwr a phianydd o Hwngari a gafodd ei wersi cyntaf yn chwech oed gan ei dad. Yn ddiweddarach symudodd i Fienna ac yna i Baris i ddatblygu ei ddoniau ymhellach gydag athrawon gorau'r cyfnod. Ar ôl clywed Paganini yn perfformio'i gampau anhygoel ar y ffidil penderfynodd Liszt greu techneg debyg ar y piano, a chyn hir roedd yn synnu ac yn swyno cynulleidfaoedd gyda'i berfformiadau rhyfeddol. Roedd yn enwog hefyd am ei anturiaethau carwriaethol, ond ym 1861 symudodd i Rufain ac ailddarganfod ei ffydd grefyddol, gan astudio ar gyfer yr offeiriadaeth. Fel cyfansoddwr bu'n allweddol gyda chreu ffurf y gathl symffonig – miwsig disgrifiadol sy'n seiliedig ar waith llenyddol, barddonol neu bortread.

LULLY, Jean-Baptiste (1632–1687)

Cyfansoddwr, yn wreiddiol o'r Eidal (Giovanni Battista Lulli oedd ei enw bedydd) ond a dreuliodd y rhan fwyaf o'i oes yn gweithio i'r Brenin Louis XIV o Ffrainc. Yn fab i felinydd, daeth yn enwog fel dawnsiwr, digrifwr a chyfansoddwr cyn dod yn gyfrifol am holl weithgareddau cerdd y llys brenhinol. Lluniodd nifer fawr o operâu (rhai ar y cyd â Molière) ynghyd â gweithiau corawl crefyddol a miwsig dawns. Er ei fod yn briod ac yn dad i 10 o blant, cafodd Lully sawl perthynas garwriaethol gyda merched a dynion, gan greu gwarth a chywilydd yn y llys. Ond, yn y pen draw, roedd gan y Brenin gymaint o feddwl o'i ddoniau cerddorol a'i gyfeillgarwch, fel y bu i'r cerddor gael rhwydd hynt i wneud fel y mynnai.

LUTHER, Martin (1483–1546)

Diwinydd a diwygiwr a fu'n gyfrifol am sefydlu Protestaniaeth. Roedd hefyd yn gerddor medrus a oedd yn gallu chwarae'r ffliwt a'r liwt, ac roedd ganddo lais tenor pwerus. Cyfansoddodd alawon a harmonïau syml ar gyfer ei emynau newydd ac anogodd ddefnyddio offerynnau cerdd yn y gwasanaethau.

MAHLER, Gustav (1860–1911)

Cyfansoddwr ac arweinydd o Bohemia/Awstria sy'n cael ei ystyried yn ddolen gyswllt rhwng y cyfnod Rhamantaidd diweddar a'r oes fodern. Am 10 mlynedd bu'n gyfarwyddwr y Tŷ Opera yn Fienna, gwaith oedd yn mynd â'i amser am naw mis o'r flwyddyn, gan adael tri mis i gyfansoddi. Pan geisiodd arwain perfformiadau o'i waith ei hunan, wynebodd wrthwynebiad cryf yn y wasg, yn rhannol oherwydd ei dras Iddewig. Tua diwedd ei oes bu'n gysylltiedig â Thŷ Opera'r Met a Cherddorfa Philharmonig Efrog Newydd.

MARAIS, Marin (1656–1728)

Cyfansoddwr, offerynnwr ac arweinydd Ffrengig oedd yn arbenigwr ar berfformio ar y viola-da-gamba, yn ogystal â chyfansoddi ar ei gyfer. Priododd ei gyfnither, Catherine, ym 1676 ac fe anwyd 19 o blant iddyn nhw.

MARTINELLI, Giovanni (1885–1969)

Tenor operatig Eidalaidd oedd yn cael ei ystyried gan rai yn olynydd naturiol i Caruso (neu i Gigli, ym marn eraill). Roedd yn dal i ganu mewn operâu yn 82 oed.

MASINI, Galliano (1896–1986)

Tenor Eidalaidd a gafodd lwyddiant arbennig yn canu rhannau operatig Puccini, ymhlith eraill.

MENDELSSOHN, Felix (1809–1847)

Cyfansoddwr Almaenig a aned i deulu Iddewig cefnog yn Hamburg ac, fel Mozart, a oedd yn meddu ar dalentau cerddorol hynod yn ifanc iawn. Cyfansoddodd ei symffoni gyntaf yn 15 oed, ac fe gynhyrchwyd un o'i operâu dair blynedd yn ddiweddarach. Daeth yn arweinydd un o gerddorfeydd enwoca'r byd, y Leipzig Gewandhaus, yn 26 oed, a bu'n hynod weithgar yn ailennyn diddordeb yng ngherddoriaeth J S Bach. Roedd yn ymwelydd cyson â Phrydain ac yn cael ei groesawu'n gynnes ar aelwyd y Frenhines Victoria a'i gŵr cerddorol, y Tywysog Albert. Roedd yn arbennig o agos at ei chwaer, Fanny (pianydd a chyfansoddwraig dalentog) a bu farw ychydig wythnosau ar ôl ei marwolaeth.

MEYERBEER, Giacomo (1791–1864)

Cyfansoddwr a phianydd o dras Iddewig a aned ger Berlin ac a wnaeth ei ymddangosiad cyhoeddus cyntaf yn naw oed yn chwarae un o gonsiertos piano Mozart. Ar ôl astudio ymhellach yn yr Eidal newidiodd ei enw o Jacob i Giacomo a daeth yn drwm o dan ddylanwad operâu ei gydoeswr Rossini. Bu'n hynod lwyddiannus gyda'i weithiau operatig am gyfnod ond, oherwydd casineb Wagner tuag ato ac ymgyrch gwrth-Semitaidd y gŵr hwnnw, dirywiodd ei boblogrwydd. Mewn gwirionedd roedd Wagner wedi dysgu llawer wrth glywed gweithiau Meyerbeer, ond roedd hefyd yn genfigennus o'i lwyddiant ac yn benderfynol o gael gwared â'r gystadleuaeth.

MIDGLEY, Walter (1914–1980)

Tenor operatig o Loegr oedd yn arfer cydberfformio efo'i wraig, Gladys, a hefyd â'i blant – y tenor, Vernon Midgley, a'r soprano, Maryetta Midgley.

MILHAUD, Darius (1892–1974)

Cyfansoddwr Ffrengig o dras Iddewig; bu i'w arddull gael ei dylanwadu gan nodweddion cerddoriaeth Ladin-Americanaidd ar ôl iddo fod ar daith i Frasil yn 1917, a jazz wedi iddo ymweld â'r

Unol Daleithiau ym 1922. Yn gyfansoddwr toreithiog, lluniodd 12 symffoni, tua 15 consierto, 18 pedwarawd llinynnol a phum opera.

MITROPOULUS, Dimitri (1896–1960)

Arweinydd a chyfansoddwr o Wlad Groeg a astudiodd yn Athen, Berlin a Brwsel. Ac yntau wedi cael gwahoddiad i arwain Cerddorfa Philharmonig Berlin ym 1930, cafodd y pianydd oedd i fod i chwarae'r 3ydd Consierto gan Prokoviev yn y cyngerdd ei daro'n wael ar y funud olaf, felly fe gymerodd Mitropoulus ei le gan arwain y gerddorfa hefyd o'r piano. Daeth yn enwog fel arweinydd oedd yn gallu arwain gweithiau ar ei gof, ac am gynnal rihyrsals heb nodyn o'i flaen. Yn ddiweddarach yn ei yrfa aeth i'r Unol Daleithiau, lle y treuliodd rai blynyddoedd gyda Cherddorfa Philharmonig Efrog Newydd, gan arbenigo ar arwain cerddoriaeth flaengar a chymhleth.

MONTEUX, Pierre (1875–1964)

Arweinydd Ffrengig a fu'n gysylltiedig â nifer o gerddorfeydd byd-enwog yn Boston, Amsterdam, Llundain, Paris a San Francisco. Daeth i amlygrwydd wrth arwain gweithiau cynnar Stravinsky, gan gynnwys noson gyntaf y bale, *Defod y Gwanwyn* (*Rite of Spring*) pan gafwyd reiat yn y theatr. Roedd yn uchel iawn ei barch ac fe'i disgrifiwyd un tro gan y cynhyrchydd recordiau John Culshaw fel un o frid prin iawn, sef 'arweinydd oedd yn cael ei garu gan gerddorfeydd'. Ac fe ddywedodd neb llai na Toscanini ei hun mai gan Monteux roedd y dechneg baton orau a welodd erioed.

MOORE, Gerald (1899–1987)

Pianydd a chyfeilydd a fu'n gysylltiedig â rhai o gantorion mwya'r byd. Ysgrifennodd ei hunangofiant ym 1962, o dan y teitl *Am I Too Loud?: Memoirs of An Accompanist.*

MOSZKOWSKI, Moritz (1854–1925)

Pianydd a chyfansoddwr o Wlad Pŵyl a astudiodd ym Merlin, ac a wnaeth enw iddo'i hun yno cyn symud ac ymgartrefu ym Mharis.

Roedd rhai o'i weithiau piano yn hynod boblogaidd, ac roedd yn ŵr cyfoethog iawn yn 30 oed. Ond, bu'r Rhyfel Byd Cyntaf yn gyfrifol am achosi colledion aruthrol iddo o ran ei fuddsoddiadau ariannol, a bu farw yn dlotyn trist a gwael ei iechyd.

MOZART, Wolfgang Amadeus (1756–1791)

Cyfansoddwr, pianydd ac arweinydd oedd yn un o'r cerddorion mwyaf a welodd y byd erioed. Roedd yn cyfansoddi yn bump oed, ac yn cael ei ystyried yn rhyfeddod yn llysoedd brenhinol Ewrop pan âi ar deithiau i gynnal cyngherddau (a fyddai'n para blynyddoedd) gyda'i chwaer a'i dad, gan ddechrau pan oedd yn chwech oed. Yn ystod ei 35 mlynedd lluniodd nifer syfrdanol o ddarnau, gan gynnwys 41 symffoni, 27 o gonsiertos piano, a 18 opera. Er iddo ennill peth arian, roedd o a Constanza ei wraig yn gwario'n afreolus, ac yn gorfod mynd ar ofyn pobol yn aml. Ar gais dieithryn rhyfedd a ddaeth at ei ddrws mewn dillad llwyd, fe gyfansoddodd osodiad o Offeren y Meirw – y Requiem – heb wybod mai uchelwr cyfoethog oedd am gael y gwaith yn ei enw'i hun ac er cof am ei wraig. Ac yntau'n ddifrifol wael, lluniodd Mozart y gwaith yn llythrennol ar ei wely angau, ac fe'i claddwyd mewn bedd cyffredin cyfunol yn Fienna.

MUSSORGSKY, Modest (1839–1881)

Cyfansoddwr rhan-amser a gafodd ei eni i deulu cyfoethog o dirfeddianwyr ger St Petersburg yn Rwsia. O ran gyrfa, bu'n swyddog yn y fyddin ac yna yn was sifil, gan berfformio ar y piano a chreu cyfansoddiadau gwreiddiol anorffenedig yn ei amser sbâr. Oherwydd ei ddiffyg disgyblaeth a'i alcoholiaeth roedd ei fywyd personol yn hollol ddi-drefn, a bu raid i'w gyfaill Rimsky-Korsakov gwblhau nifer o'r darnau cerddorol sy'n dwyn ei enw ac sy'n boblogaidd heddiw. Bu farw o gymhlethdodau yn ymwneud ag alcohol wythnos ar ôl ei ben-blwydd yn 42.

NILSSON, Birgit (1918–2005)

Soprano operatig o Sweden, a aned ar fferm ac a oedd yn dal yno yn tyfu tatws a betys yn 23 oed. Roedd yn ystyried ei hun yn hunanaddysgedig, gan gondemnio'n hallt ei hathrawon canu cyntaf a oedd, yn ei thyb hi, bron â dinistrio'i llais. Roedd yn enwog oherwydd gallu ei llais i dreiddio drwy synau cerddorfa fawr, ac fe arbenigodd ar berfformio cerddoriaeth Wagner, Richard Strauss a Puccini, a hynny yn nhai opera mwya'r byd.

NOVELLO, Ivor (1893–1951)

Cyfansoddwr, actor a chanwr Cymreig a aned yn Llwyn-yr-Eos, Heol Ddwyreiniol y Bontfaen, Caerdydd, ac a fedyddiwyd yn David Ivor Davies. Daeth yn enwog am gyfansoddi'r gân 'Keep the home fires burning' yn ystod y Rhyfel Byd Cyntaf ac yna am sioeau cerdd hynod boblogaidd, fel *Glamorous Nights* (1935), *The Dancing Years* (1939) a *King's Rhapsody* (1945). Ymddangosodd hefyd mewn amryw o ffilmiau Hollywood.

OFFENBACH, Jacques (1819–1880)

Cyfansoddwr o dras Iddewig a aned yn yr Almaen ond a oedd yn Ffrancwr o ddewis. Dechreuodd ei yrfa gerddorol fel chwaraewr cello yng ngherddorfa un o dai opera Paris, gan ddatblygu wedyn i fod yn arweinydd. Yna dechreuodd gyfansoddi'r gyntaf o'r bron i 100 o operettas ysgafn y bu iddo'u llunio dros y chwarter canrif nesaf. Roedd ganddo dalent arbennig i greu alawon swynol cofiadwy ac fe'i galwyd gan Rossini yn 'Mozart y Champs-Elysées'.

ONSLOW, Syr George (1784–1853)

Cyfansoddwr Ffrengig, ei dad o deulu aristocrataidd o Loegr a'i fam yn Ffrances. Roedd ei daid wedi bod yn Llefarydd Tŷ'r Cyffredin, ond bu raid i'w dad ddianc i Ffrainc oherwydd sgandal, ac yno y ganed George. Yn dilyn y Chwyldro Ffrengig bu'r teulu ar ffo eto am rai blynyddoedd. Cafodd George wersi offerynnol fel rhan o'i addysg gyffredinol heb fawr o fwriad i fod yn gerddor, a llai fyth i fod yn gyfansoddwr. Eto i gyd, yn 22 oed, fe glywodd berfformiad o opera a fu mor ddylanwadol arno fel y bu iddo ddechrau cyfansoddi pedwarawdau llinynnol. Bu'r rhain mor llwyddiannus nes i'w gyfeillion a'i gyhoeddwr ei annog ymlaen. Cyn hir roedd Onslow yn cael ei ystyried yn un o gyfansoddwyr mwyaf i gyfnod, gan gael ei grybwyll yn yr un gwynt â Mozart, Haydn a Beethoven. Yn wir, roedd yn cael ei alw'n 'Beethoven Ffrengig' ac yn un o'r ychydig gyfansoddwyr oedd yn canolbwyntio bron yn gyfan gwbl ar weithiau siambr. Cwblhaodd 36 pedwarawd llinynnol a 34 o bumawdau llinynnol, gan gyflenwi anghenion cymdeithasau cerdd dros Ewrop a thu hwnt am hanner can mlynedd. Cafodd ei anrhydeddu gan gymdeithasau cerdd pwysicaf Fienna, Llundain, Paris, Rhufain, Cologne, Stockholm ac yn y blaen, ac roedd ei gerddoriaeth yn cynrychioli'r traddodiadau clasurol gorau mewn oes oedd wedi gwirioni ar adloniant isel-ael, fel y *vaudeville* a'r *salons*. Parhaodd i fyw yn ei dref enedigol, Clermont-Ferrand, yn ardal yr Auvergne, ar hyd ei oes, ond roedd ganddo hefyd gastell allan yn y wlad.

PACHMANN, Vladimir de (1848–1933)

Pianydd o'r Iwcrain a astudiodd yn Fienna ac a oedd yn arbenigo ar ddehongli gweithiau Chopin. Er ei fod yn un o berfformwyr mwyaf i gyfnod, roedd yn adanabyddus am ei ymddygiad anarferol ar y llwyfan – yn mwmian a gwneud ystumiau wrth chwarae. Oherwydd hyn fe'i galwyd gan un adolygydd yn 'Chopinzee'.

PADEREWSKI, Ignaz (1860–1941)

Pianydd a chyfansoddwr o Wlad Pŵyl a ddaeth yn Brif Weinidog ei wlad. Fe'i ganed mewn pentre gwledig, ac astudiodd yn Warsaw, ac yna yn Berlin a Fienna. Bu ei deithiau i gynnal cyngherddau ar draws Ewrop a'r Unol Daleithiau yn hynod lwyddiannus ond ei gyfraniad allweddol oedd cyfansoddi symffoni'n portreadu gogoniannau gorffennol ei wlad enedigol, y gormes a ddilynodd, a'r gobeithion am ddyfodol gwell (Symffoni Polonie). Clymodd ei hun yn ddiamod i'r mudiad cenedlaethol ac yr oedd yn un o'r rhai a arwyddodd gyfamod Versaille ar ran ei wlad ar ôl y Rhyfel

Byd Cyntaf. Bu hefyd yn Arlywydd Gwlad Pŵyl yng nghyfnod yr alltudiaeth yn ystod yr Ail Ryfel Byd.

PAISIELLO, Giovanni (1740–1816)

Cyfansoddwr Eidalaidd a oedd yn un o ddylanwadau pwysica'i gyfnod, yn enwedig ym myd yr opera. Lluniodd 94 ohonyn nhw, y rhan fwyaf yn rhai ysgafn.

PARRY, Joseph (1841–1903)

Cyfansoddwr Cymreig a ddangosodd dalent gerddorol anghyffredin yn ifanc ac ar waetha'r ffaith iddo weithio yn y pyllau glo a'r gweithfeydd dur yn blentyn naw oed, dringodd i fod yn Athro Cerddoriaeth cyntaf Prifysgol Cymru yn Aberystwyth, ac yntau'n ddim ond 33 oed. Roedd yn gyfansoddwr toreithiog, ac ef luniodd yr opera Gymraeg gyntaf ym 1878. Roedd yn eilun y genedl, yn fawr ei barch fel lluniwr emyn-donau ac unawdau poblogaidd, beirniad eisteddfodol ac arweinydd cymanfaoedd canu.

PATTI, Adelina (1843–1919)

Soprano operatig a aned ym Madrid, Sbaen, i rieni Eidalaidd, ond a symudodd gyda'i theulu'n fuan wedyn i Efrog Newydd. Canodd yn gyhoeddus am y tro cyntaf yn saith oed ac yr oedd yn canu ei rhan operatig gyntaf yn 16 oed. Cyn hir roedd yn canu yn Covent Garden, Paris a Fienna ac yn un o sêr ei chyfnod. Ym 1862 canodd 'Home Sweet Home' yn y Tŷ Gwyn i'r Arlywydd Abraham Lincoln a'i wraig, a oedd newydd golli eu mab drwy'r afiechyd teiffoid, a daeth yn arwyddgan iddi weddill ei hoes. Priododd y Marquis de Caux ym 1868, a deng mlynedd yn ddiweddarach prynodd Graig-y-nos, ger Abercraf, a symud yno, nid efo'i gŵr, ond efo'r tenor Ernesto Nicolini. Gwariodd dros £100,000 ar estyniadau i'r adeiladau, arian a ddaeth yn rhannol o'i chyngherddau yn America, lle byddai'n codi ffi o £1,000 am bob perfformiad. Erbyn 1890 roedd Patti yn un o ferched enwoca'r byd, yr un mor boblogaidd gyda'r werin bobol ag yr oedd hi gyda theuluoedd brenhinol.

PAVAROTTI, Luciano (1935–2007)

Tenor Eidalaidd a aned i bobydd ym Modena. Trodd at ganu ar ôl methu gwireddu breuddwyd i fod yn gôl-geidwad proffesiynol. Ym 1955 cafodd un o'i lwyddiannau cyntaf, fel aelod o Choral Rossini, côr meibion o Modena yr oedd o a'i dad yn aelodau ohono – profiad pwysicaf ei fywyd, a'i hysbrydolodd i fod yn ganwr proffesiynol. Wedi nifer o flynyddoedd fel tenor uchel ei barch yn nhai opera amlyca'r byd, daeth i sylw rhyngwladol y noson cyn gêm derfynol cystadleuaeth Cwpan y Byd 1990 yn yr Eidal, pan ymunodd efo Placido Domingo a José Carreras ar gyfer y cyntaf o nifer o gyngherddau enwog y Tri Thenor. Yn ystod ei flynyddoedd olaf roedd yn ymddangos yn llai a llai aml mewn operâu oherwydd problem gorbwysau a diffyg gallu i symud yn rhwydd ar lwyfan. Yn ystod ei 'daith ffarwél' yn 2006 fe ganfuwyd ei fod yn dioddef o gancr a bu farw ym mis Medi, 2007.

PONS, Lily (1898–1976)

Soprano Ffrengig a fu'n un o brif gantorion y Met am bron i 30 mlynedd, gan arbenigo yn yr arddull *coloratura*. Er mai llais cymharol fychan oedd ganddi roedd ei thechneg yn ymylu ar berffeithrwydd, a'i chwmpawd lleisiol, yn ôl y sôn, yn cyrraedd A meddalnod uwchben 'Top C'! Ymgartrefodd yn yr Unol Daleithiau ym 1940 ac y mae pentref yn nhalaith Maryland wedi'i enwi'n Lilypons fel teyrnged iddi.

PORPORA, Nicola (1686–1768)

Cyfansoddwr a chanwr Eidalaidd oedd yn gyfarwyddwr cerdd i deuluoedd brenhinol ar ddechrau ei yrfa. Cyfansoddodd oddeutu 50 o operâu, gan fyw a gweithio mewn sawl dinas Ewropeaidd megis Naples, Fenis, Llundain, Fienna a Dresden.

PORTER, Cole (1891–1964)

Cyfansoddwr caneuon a cherddoriaeth sioeau a ffilmiau Americanaidd. Fe'i ganwyd i deulu hynod gyfoethog yn Peru, Indiana, ac astudiodd y Gyfraith ym Mhrifysgolion Yale a Harvard, lle y newidiodd ei gwrs i Gerddoriaeth a chyfansoddi rhai cannoedd o ganeuon yr un pryd. Bu'n fyfyriwr cerdd ym Mharis hefyd yn ddiweddarach ac er iddo gael rhai methiannau yn Broadway ar y dechrau, datblygodd i fod yn un o'i chyfansoddwyr mwyaf llwyddiannus, efo saith o'i sioeau ymlaen ar yr un pryd yn ystod y 30au.

PRES, Josquin des (1450–1521)

Un o gyfansoddwyr pwysicaf y Dadeni a anwyd, o bosib, yn Ffrainc. Treuliodd beth amser yn yr Eidal, lle roedd yn ganwr yng Nghadeirlan Milan, a bu hefyd yn gerddor yn llys y Brenin Louis XII o Ffrainc. Lluniodd nifer o osodiadau o'r offeren ac ar ôl ei farw soniwyd amdano fel rhodd Dduw i gerddoriaeth fel yr oedd Michelangelo i'r celfyddydau gweledol.

PREVIN, André (g.1930)

Arweinydd, pianydd a chyfansoddwr o dras Iddewig a aned yn Berlin ond a ymfudodd i'r Unol Daleithiau ym 1938. Dechreuodd fel cyfansoddwr cerddoriaeth ffilmiau yn Hollywood, ac yn ddiweddarach bu'n brif arweinydd nifer o gerddorfeydd enwog, gan gynnwys Cerddorfa Symffoni Llundain.

PRIDHAM, John (1818–1896)

Cyfansoddwr o Loegr oedd yn arbenigo ar greu miwsig militaraidd a darnau disgrifiadol.

PUCCINI, Giacomo (1858–1924)

Cyfansoddwr Eidalaidd a greodd rai o operâu mwyaf poblogaidd y byd ac sy'n cael ei ystyried fel etifedd i Verdi. O deulu cerddorol, yn mynd yn ôl bum cenhedlaeth, roedd yn naturiol y byddai'n dilyn y traddodiad ac ar ôl astudio yn y Conservatoire ym Milan dechreuodd lunio operâu oedd yn portreadu pobol gyffredin gyda phroblemau cyfarwydd yn hytrach na chymeriadau mytholegol dieithr. Ar ôl dwy opera aflwyddiannus daeth llwyddiant gyda *Manon Lescaut* ym 1893, gan agor y llifddorau creadigol fu'n gyfrifol am ei gampweithiau *La Bohème, Tosca* a *Madame Butterfly* – operâu sy'n dal i swyno cynulleidfaoedd heddiw. Yn smociwr tanbaid ar hyd ei oes, dioddefodd Puccini boenau yn ei wddf tua diwedd 1923 ac fe geisiwyd trin y cancr gyda thechnegau meddygol arbrofol newydd ym Mrwsel, ond bu farw o ganlyniad i'r driniaeth. Pan ofynnwyd iddo restru ei ddiddordebau un tro, fe ddywedodd: ffowlyn gwyllt, *libretti* operâu, a merched prydferth.

PUJOL, Joseph (1857–1945)

Rhechwr proffesiynol a aned yn Marseille, Ffrainc ac a oedd yn cael ei adnabod wrth yr enw *Le Petomane*. Dechreuodd ei yrfa fel pobydd ond ar ôl darganfod ei dalent anarferol bu'n ymddangos yn rheolaidd yn y Moulin Rouge. Cafodd dyfodiad y Rhyfel Byd Cyntaf ddylanwad aruthrol arno ac fe adawodd y llwyfan gan ddychwelyd at ei fusnes pobi yn Marseille.

PURCELL, Henry (1659–1695)

Cyfansoddwr ac organydd o Lundain a oedd, yn fachgen ifanc, yn canu yng Nghôr y Capel Brenhinol, ac yn dechrau cyfansoddi yn wyth oed. Ar waetha'r cychwyn addawol daeth popeth i ben pan dorrodd ei lais yn 14 oed, gan ei orfodi i adael y côr a gwneud gwaith ymarferol, fel pwmpio'r organ yn Abaty Westminster. Yna, yn sydyn daeth cyfle gwych pan fu farw Matthew Locke, y cyfansoddwr oedd yn gyfrifol am gerddoriaeth seindorf y Brenin. Apwyntiwyd Purcell er mai dim ond 18 oed oedd o ar y pryd. Ddwy flynedd yn ddiweddarach, yn 20 oed, roedd yn organydd Abaty Westminster. O hynny ymlaen daeth Purcell yn un o gerddorion prysuraf y wlad, yn cyfansoddi cerddoriaeth ar gyfer achlysuron pwysig gan gynnwys operâu a cherddoriaeth eglwysig, a hefyd, rhaid cyfaddef, ganeuon anweddus. Yn ddiweddarach daeth yn organydd y Capel Brenhinol ac wedi hynny yn brif gerddor swyddogol y Brenin. Mae rhai'n ei ystyried fel y cyfansoddwr mwyaf talentog a faged yn Lloegr, er i'r awdur A K Holland, gohebydd cerdd y *Daily Post* ers talwm, honni bod Purcell yn hanu o gefndir Cymreig.

RACHMANINOV, Sergei (1873–1943)

Cyfansoddwr, pianydd ac arweinydd o Rwsia. Oni bai i'w deulu cyfoethog golli eu holl arian mewn buddsoddiadau amheus a symud o'r wlad i St Petersburg, mae'n bur debyg na fyddai Rachmaninov wedi dod yn gerddor. Cafodd ei lwyddiant cyntaf fel cyfansoddwr yn 19 oed gyda'i ddarn piano 'Preliwd yn C llonnod lleiaf' (sy'n dal yn boblogaidd heddiw), ond pan berfformiwyd ei symffoni gyntaf ym 1897 (dan arweiniad Glazunov meddw), roedd yn fethiant llwyr, ac fe brofodd y cyfansoddwr gyfnod hir o hunanamheuaeth ac iselder. Dim ond trwy gymorth therapi seicolegol y gallod ailafael yn ei waith creadigol a chwblhau ei gampwaith, y Consierto i'r Piano Rhif 2, yn gyflwynedig i'w feddyg, Dr Dahl. Priododd ei gyfnither ac roedd popeth yn gyfforddus hyd 1905, pan ddaeth y Chwyldro. Symudodd i'r Eidal ac wedyn i'r Almaen, ac yna aeth ar daith berfformio i'r Unol Daleithiau, lle cafodd gynnig swyddi breision. Gwrthododd, gan ddychwelyd i Rwsia ac aros yno tan Chwyldro 1917, pan adawodd ei wlad enedigol am byth ac ymgartrefu yn yr Unol Daleithiau.

REGER, Max (1873–1916)

Cyfansoddwr Almaenig a gafodd ei wersi cerdd cyntaf gan ei rieni. Dringodd maes o law i ddal swyddi uchel yn Adran Gerdd Prifysgol Leipzig a'r Conservatoire, gan gyfansoddi'n helaeth ar yr un pryd. Fe'i hystyrir yn feistr ar ffurfiau caeth cerddoriaeth, yn nodweddiadol Almaenaidd, ac yn gymharol draddodiadol ei arddull gan ddilyn ôl Beethoven a Brahms.

RICHTER, Hans (1843–1916)

Arweinydd Hwngaraidd uchel ei barch oedd yn arbenigo ar weithiau Beethoven, Wagner a Brahms.

RODZINSKI, Artur (1892–1958)

Arweinydd a aned yn Dalmatia (Croatia heddiw) i rieni o Wlad Pŵyl. Astudiodd y Gyfraith i blesio'i dad ac aeth mor bell â chael doethuriaeth yn y pwnc. Dilynodd gyrsiau cerdd ar yr un pryd a dod yn arweinydd opera yng Ngwlad Pŵyl cyn symud i'r Unol Daleithiau, lle bu'n gysylltiedig â cherddorfeydd Los Angeles, Cleveland, Efrog Newydd a Chicago.

ROSSINI, Giacomo (1792–1868)

Cyfansoddwr Eidalaidd a aned i deulu cerddorol – ei fam yn gantores a'i dad yn cyfuno gwaith chwaraewr utgorn y dref ac arolygwr y lladd-dai! Lluniodd oddeutu 40 o operâu, y gyntaf ohonyn nhw'n cael ei pherfformio yn Fenis pan oedd o'n ddim ond 18 oed. Ei lwyddiant mawr cyntaf oedd *Tancredi* ym 1813, ac roedd un o'i halawon mor boblogaidd nes bod tyrfaoedd yn y llysoedd barn yn ei chanu'n ddibaid, hyd nes i'r barnwr eu hatal. Cyn hir roedd Rossini'n derbyn comisiwn i greu o leiaf ddwy opera bob blwyddyn ar gyfer theatrau Naples, a chreodd nifer o'i gampweithiau gorau yn ystod y cyfnod hwn. Daeth yn enwog drwy Ewrop ac aeth i Lundain ym 1823, lle y'i croesawyd gan neb llai na'r Brenin Siôr IV. Derbyniodd £7,000 am bum mis yn y King's Theatre cyn symud ymlaen i Baris, lle cafodd ei apwyntio yn Gyfarwyddwr Cerdd y Théatre Italien ac yna yn brif gyfansoddwr i'r brenin. Ym 1829 cyfansoddodd ei opera olaf, *William Tell,* a dychwelodd i Bologna i fod gyda'i dad wedi marwolaeth ei fam. Er iddo fyw am bron i 40 mlynedd arall, cymharol ychydig a gyfansoddwyd ganddo wedyn, ar wahân i rai gweithiau crefyddol. Symudodd i fyw i Baris ym 1855, a daeth ei gartref yno yn gyrchfan i fyd y celfyddydau ac edmygwyr o bob rhan o'r byd.

RUBINSTEIN, Anton (1829–1894)

Pianydd ac arweinydd Rwsiaidd a gafodd ei wersi cyntaf gan ei fam cyn astudio efo un o athrawon mwyaf blaenllaw Moscow, ac yna ymddangos o flaen y cyhoedd yn naw oed. Y flwyddyn ganlynol ymgymerodd â thaith gyngherddau dair blynedd o hyd drwy Ewrop, gan ddatblygu'n un o gerddorion prysuraf ei gyfnod. Ei freuddwyd oedd sefydlu Conservatoire yn St Petersburg ac fe wireddodd hynny ym 1862, gan fod yn gyfarwyddwr cyntaf yn y sefydliad. Ym 1872 aeth ar daith berfformio yn yr Unol Daleithiau gan berfformio mewn 215 cyngerdd mewn 239 o ddyddiau! O bosib, y fo oedd y Rwsiad cyntaf i ddod i amlygrwydd fel pianydd a chyfansoddwr drwy Ewrop ac America. Yn ei gyfansoddiadau roedd yn dilyn arddull a thraddodiad ceidwadol yr Almaen, yn hytrach na'r elfen genedlaethol Rwsiaidd oedd yn blodeuo yng ngwaith Rimsky-Korsakov a gweddill y grŵp a adwaenid fel 'Y Pump'.

RUBINSTEIN, Arthur (1887–1982)

Pianydd o dras Iddewig a aned yng Ngwlad Pŵyl ac a oedd yn cael ei ystyried yn un o gewri'r offeryn yn yr 20fed ganrif. Arbenigodd ar berfformio gweithiau Chopin, Brahms a chyfansoddwyr Sbaenaidd. Teithiodd yn helaeth drwy Ewrop, yr Unol Daleithiau a De America, a daeth yn ddinesydd Americanaidd ym 1946.

RHYS-EVANS, Tim (g.1972)

Arweinydd corawl a aned yn Nhredegar Newydd ac a astudiodd Gerddoriaeth ym Mhrifysgol Caerdydd. Ffurfiodd gorau Only Men Aloud a Serendipity, ac ennill bri cenedlaethol gan gynnwys teitl Côr Cymru 2005. Bu hefyd yn weithgar gydag Opera Cenedlaethol Ieuenctid Cymru.

SAINT-SAËNS, Camille (1835–1921)

Cyfansoddwr Ffrengig oedd yn aruthrol dalentog yn hynod o ifanc, gan gyfansoddi ei ddarn cyntaf yn dair oed! Erbyn ei ben-blwydd yn ddeg oed gallai berfformio pob un o 32 sonata Beethoven i'r piano ar ei gof, heb unrhyw rybudd o gwbl. Roedd yn astudio yn y Paris Conservatoire yn 13 oed ac wedi cyfansoddi tair symffoni erbyn ei fod yn 18 oed. Fe'i hapwyntiwyd yn organydd Eglwys La Madeleine tua'r un cyfnod ac fe ddywedodd neb llai na Franz Liszt mai ef oedd organydd gorau'r byd. Fel cyfansoddwr roedd yn dueddol o fod yn geidwadol ac fe'i hanwybyddwyd i raddau yn ei wlad ei hun wrth i chwaeth pobl newid. O'r herwydd teithiodd yn helaeth i wledydd tramor, gan gynnwys gogledd Affrica. Cafodd lwyddiant arbennig gyda'i gerddoriaeth yn Lloegr. Yn ogystal â bod yn gerddor talentog roedd yn dipyn o arbenigwr ar glasuron Lladin, seryddiaeth a daeareg.

SALIERI, Antonio (1750–1825)

Cyfansoddwr Eidalaidd oedd yn hynod boblogaidd yn ei ddydd ac a ddaliodd rai o swyddi pwysicaf y llys brenhinol yn Fienna. Lluniodd 43 o operâu, ond does yr un ohonynt wedi aros yn y repertoire poblogaidd hyd heddiw. Mae ei enwogrwydd bellach yn ymwneud â'r honiad ei fod wedi gwenwyno Mozart – stori a fu'n destun opera gan Rimsky-Korsakov, a hefyd yn ddrama lwyfan a ffilm gan Peter Shaffer, *Amadeus*.

SATIE, Erik (1866–1925)

Cyfansoddwr a phianydd Ffrengig oedd yn gymeriad pur egsentrig. Mae ei gerddoriaeth yn aml yn ddoniol ac yn od, â'i arddull weithiau yn achub y blaen ar y mudiad minimalaidd ryw hanner canrif yn ddiweddarach. Bu i'r perfformiad cyntaf o'i fale *Parade* ym 1917, gyda rhannau yn yr offeryniaeth i deipiadur a chorn niwl, achosi cryn gyffro a sgandal. Ffurfiodd ei eglwys ei hun – a fo oedd yr unig aelod.

SCHNABEL, Artur (1882–1951)

Pianydd a chyfansoddwr o dras Iddewig a aned yng Ngwlad Pŵyl ac a fu'n bennaf cyfrifol am ailennyn diddordeb yn sonatas piano Beethoven a Schubert yn hanner cyntaf yr 20fed ganrif. Symudodd i'r Unol Daleithiau ym 1939.

SCHÖNBERG, Arnold (1874–1951)

Cyfansoddwr o dras Iddewig a aned yn Fienna, ond a oedd fwy neu lai yn gerddor hunanaddysgedig. Ar y dechrau roedd ei arddull gyfansoddi yn estyniad o ddiwedd yr oes Ramantaidd, ond buan y cefnodd ar hynny a dyfeisio'r System 12 nodyn, lle mae pob nodyn yn y raddfa gromatig yn cael yr un sylw, a lle nad oes ymdeimlad o gyweirnod. Gorfodwyd Schönberg i ffoi rhag y Natsïaid ym 1933 ac ymfudodd i'r Unol Daleithiau. Roedd hefyd yn arlunydd o bwys, â'i waith yn ddigon da i gael ei arddangos ochr yn ochr ag arlunwyr fel Kandinsky.

SCHUBERT, Franz (1797–1828)

Cyfansoddwr o Awstria a luniodd gyfanswm aruthrol o ddarnau mewn oes fer o 31 mlynedd, gan gynnwys naw symffoni ac oddeutu 600 o ganeuon. Bu'n byw mewn tlodi dychrynllyd drwy gydol ei fywyd, ac ychydig iawn o'i gerddoriaeth gafodd ei pherfformio'n gyhoeddus. Wedi ei farw, fe anghofiwyd amdano i raddau helaeth, ond yn ffodus aeth dau Sais, Syr George Grove a Syr Arthur Sullivan, ar daith i Fienna ym 1867 a darganfod toreth o gerddoriaeth mewn atig lychlyd yn nhŷ meddyg.

SCHULHOFF, Ervin (1894–1942)

Cyfansoddwr a phianydd a aned ym Mhrâg i rieni Iddewig/ Almaenig. Astudiodd ym Mhrâg, Leipzig a Cologne, gan ddod yn un o'r cyfansoddwyr cyntaf yn Ewrop i gael ei ddylanwadu gan arddull a rhythmau jazz. Yn wrthodedig oherwydd ei gefndir Iddewig, cafodd ei erlid hefyd oherwydd ei ddaliadau comiwnyddol. Yn dilyn ei arestio ym 1941 fe'i carcharwyd yn un o wersylloedd rhyfel Bafaria, lle bu farw o'r diciáu flwyddyn yn ddiweddarach.

SCHUMANN, Robert (1810–1856)

Cyfansoddwr Almaenig sydd yn cynrychioli prif hanfodion yr oes Ramantaidd, gyda'i ddiddordeb angerddol mewn llenyddiaeth (ysgrifennodd nofelau) a barddoniaeth yn ogystal â cherddoriaeth. Yr oedd hefyd yn feddyliwr mawr ac yn draethodwr praff ar agweddau esthetig y celfyddydau. Astudiodd y Gyfraith am gyfnod yn Leipzig cyn penderfynu canolbwyntio ar wersi piano. Ei athro oedd Friedrich Wieck, a maes o law roedd Schumann yn byw yn nhŷ ei athro. Er bod merch dalentog Wieck, Clara, naw mlynedd yn iau, daeth y ddau yn gariadon ymhen rhai blynyddoedd, gan ennyn dicter Wieck. Gorfodwyd i'r ddau fod ar wahân am gyfnod hir nes yn y diwedd y bu i Schumann ennill yr hawl i briodi Clara drwy'r llysoedd barn. Wedi eu priodas ym 1839 ysbrydolwyd y cyfansoddwr i greu llifeiriant o gerddoriaeth serch, gan gynnwys tua 160 o ganeuon. Byrhoedlog fu'r hapusrwydd gan i Schumann ddioddef iselder a waethygodd i'r graddau ei fod wedi ceisio difa'i hun ym 1854. Diweddodd ei oes mewn gwallgofdy.

SEGOVIA, Andrés (1893–1987)

Chwaraewr gitâr glasurol o Sbaen a fu'n brwydro i hyrwyddo'i offeryn fel y byddai'n cael ei ystyried yn gyfartal â'r piano a'r ffidil ar lwyfannau cyngerdd. I'r perwyl hwn trefnodd nifer fawr o glasuron J S Bach, Scarlatti ac eraill ar gyfer y gitâr, gan sefydlu system hyfforddi addas ar yr un pryd. Hefyd, anogodd gyfansoddwyr cyfoes i greu gweithiau newydd fel bod y repertoire yn tyfu ac yn datblygu, a sicrhaodd fod arbrofion yn cael eu cynnal i wneud sain yr offeryn yn fwy clir a chlywadwy mewn neuaddau.

SERKIN, Rudolf (1903–1991)

Pianydd a aned yn Bohemia i rieni Rwsiaidd/Iddewig.

SHAW, George Bernard (1856–1950)

Dramodydd Gwyddelig a ddaeth i fyw i Lundain ar ôl i'w fam adael y cartref yn Nulyn i ddilyn ei gyrfa ganu. Daeth i amlygrwydd gyntaf fel beirniad ac adolygydd cerdd, arlunio a drama, gan ddefnyddio'r ffugenw Corno di Basetto. Roedd yn gefnogwr brwd o Wagner ac yn hynod feirniadol o Brahms.

SIBELIUS, Jean (1865–1957)

Cyfansoddwr o'r Ffindir a ddechreuodd trwy astudio'r Gyfraith cyn troi at gerddoriaeth a mynychu colegau yn Helsinki, Berlin a Fienna. Roedd ganddo ddiddordeb angerddol yn chwedlau ei wlad a byddai'n aml yn cael ei ysbrydoli gan olygfeydd natur a'r creaduriaid o'i gwmpas. Ar ôl creu rhai darnau cenedlaethol eu naws dyfarnwyd iddo gyflog blynyddol rheolaidd gan y llywodraeth i'w alluogi i gyfansoddi'n llawn amser. Lluniodd saith symffoni a nifer o ddarnau symffonig disgrifiadol, gan gynnwys *Finlandia*, a fabwysiadwyd fel arwyddgan i'r cenedlaetholwyr oedd am dorri'n rhydd oddi wrth Rwsia. Gwaharddwyd perfformiadau o'r darn gan y Rwsiaid yn ystod cyfnodau pan oedd yr ysbryd milwriaethus yn gryf, ac i'w twyllo newidiwyd y teitl i *Impromptu*.

SMETANA, Bedřich (1824–1884)

Cyfansoddwr o Bohemia, mab i fragwr cwrw oedd yn gwrthwynebu i'w fab ddilyn gyrfa gerddorol. Astudiodd ym Mhrâg a sefydlodd ysgolion cerdd yno ac yn Sweden. Fel cyfansoddwr, mae'n cael y clod o fod y cyntaf i greu cerddoriaeth genedlaethol yn ei wlad, gan ddefnyddio nodweddion a rhythmau caneuon gwerin. Collodd ei glyw ym 1874 ond daliodd i gyfansoddi, gan greu cyfres o ddarnau disgrifiadol gwladgarol o dan y teitl *Má Vlast* (Fy Ngwlad). Bu i'w gyflwr meddyliol waethygu ym 1883 pan gafodd ei roi mewn gwallgofdy, ac yno y bu farw y flwyddyn ganlynol.

SOUSA, John Philip (1854–1932)

Cyfansoddwr ac arweinydd band o'r Unol Daleithiau a fagwyd yn sŵn seindorf filitaraidd oherwydd bod ei dad yn chwarae'r trombôn yn yr U.S. Marine Copr Band. Yn blentyn ifanc hyderus, dechreuodd ganu a chware'r ffidil, y piano, y cornet a'r trombôn yn chwech oed, a chafodd ymuno â band ei dad yn 13 oed. Dechreuodd gyfansoddi tua 1872 a threuliodd ei fywyd cyfan yn cyfuno arwain bandiau a chyfansoddi, gan ennill iddo'i hun y llysenw 'Brenin yr Ymdeithgan'. Lluniodd oddeutu 140 ohonyn nhw, gan gynnwys 'The Stars and Stripes Forever' a 'The Washington Post'. Llai adnabyddus ydi'r ffaith i Sousa lunio 10 operetta a darnau cerddorfaol. Hefyd, ysgrifennodd bum nofel, a hunangofiant yn dwyn y teitl *Marching Along*. Y fo hefyd oedd y tu ôl i'r syniad o greu'r Sousaphone – math o diwba cyrliog sy'n gorffwys o amgylch ysgwyddau'r perfformiwr efo'r gloch uwch ei ben.

SPONTINI, Gaspare (1774–1851)

Cyfansoddwr opera ac arweinydd Eidalaidd a aned ym Maiolati, Ancona. Lluniodd tuag 20 opera, ond dim ond un, *La Vestale* (1807), lwyddodd i ddod yn wirioneddol boblogaidd.

STEVENS, Risë (g.1913)

Mezzo-soprano Americanaidd a fu'n un o brif leisiau Tŷ Opera'r Metropolitan am dros ugain mlynedd, gan allu hawlio'r math o arian a oedd fel arfer yn cael ei gyfyngu i sopranos a thenoriaid enwog. Roedd yn arbennig o lwyddiannus yn chwarae rhan Carmen, gyda'r cyfuniad o'i dawn gerddorol a'i phrydferthwch yn sicrhau perfformiadau trydanol a chofiadwy. Nid rhyfedd chwaith i'w thalent ddenu sylw Hollywood, lle cynhyrchwyd nifer o ffilmiau yn arddangos ei doniau.

STRADELLA, Alessandro (1644–1682)

Cyfansoddwr Eidalaidd o deulu bonheddig ac a addysgwyd yn Bologna. Roedd yn un o gyfansoddwyr mwyaf dylanwadol ei gyfnod a lluniodd doreth o gerddoriaeth offerynnol, operâu a gweithiau corawl eglwysig. Yn gymeriad pur liwgar, bu mewn sawl helynt ynglŷn ag arian a merched, ac nid rhyfedd i hanes ei fywyd gael ei ddefnyddio fel deunydd stori opera gan dri chyfansoddwr gwahanol.

STRAUSS, Richard (1864–1949)

Cyfansoddwr ac arweinydd Almaenig o gefndir cerddorol, gyda'i dad yn brif chwaraewr corn Ffrengig yng ngherddorfa'r Tŷ Opera ym Munich. Datlygodd fel arweinydd yn gyntaf ac yna, o dan ddylanwad Wagner, dechreuodd gyfansoddi mewn arddull flaengar oedd yn plesio rhai a chythruddo eraill. Arbenigodd i ddechrau ar lunio cathlau symffonig yn cyfleu chwedlau traddodiadol, syniadau athronyddol a thirluniau cerddorol. Yna trodd i fyd yr opera, gan raddol gyflwyno seiniau amhersain i'w weithiau. Enynnodd hyn sawl ymateb chwyrn, fel yng nghynhyrchiad yr opera *Salome* yn y Met yn Efrog Newydd, pan ddaethpwyd â'r holl beth i ben ar ôl y perfformiad cyntaf. Erbyn *Der Rosenkavalier* ym 1910 roedd Strauss wedi meddalu ryw gymaint ar ei arddull a bu'r derbyniad yn llawer mwy gwresog.

STRAVINSKY, Igor (1882–1971)

Cyfansoddwr, pianydd ac arweinydd Rwsiaidd na chafodd addysg gerddorol ffurfiol yn ifanc ond a ddechreuodd trwy astudio'r Gyfraith ym Mhrifysgol St Petersburg. Yno, cyfarfu â mab Rimsky-Korsakov a chyn hir roedd Stravinsky yn astudio gyda'r meistr ei hun. Dechreuodd ei yrfa gyfansoddi trwy greu'r gerddoriaeth ar gyfer cwmni bale Diaghilev, y Ballets Russes ym Mharis, pan gafwyd reiat yn ystod y trydydd cynhyrchiad, sef *Defod y Gwanwyn* (*Rite of Spring*) gyda'i rhythmau barbaraidd a'i seiniau paganaidd. Newidiodd ei arddull sawl tro yn ystod ei yrfa gan droi weithiau at y gorffennol am ysbrydoliaeth (fel yn y bale *Pulcinella*), a thro arall ddilyn trywydd ysgol flaengar Schönberg (fel yn y bale *Agon*). Arbrofodd hefyd gyda nodweddion jazz, e.e. yn yr *Ebony Concerto*. Yr oedd cynlluniau ar y gweill i greu opera ar y cyd gyda Dylan Thomas ond bu farw'r bardd cyn i'r prosiect ddwyn ffrwyth. Ymatebodd Stravinsky trwy ddweud bod y farwolaeth wedi bod yn ergyd drom iddo, ac fe'i symbylwyd i greu gwaith yn seiliedig ar y gerdd 'Do not go gentle into that good night' i denor, pedwarawd llinynnol a phedwar trombôn, yn dwyn y teitl *In memoriam Dylan Thomas*. Fe'i hystyrir gan rai yn un o gyfansoddiadau mwyaf angerddol Stravinsky.

SUK, Josef (1874–1935)

Cyfansoddwr a chwaraewr ffidil o Bohemia a gafodd ei wersi cerdd cyntaf gan ei dad, oedd yn ysgolfeistr pentref a chôr-feistr. Yna astudiodd yn y Conservatoire ym Mhrâg, a chael gwersi yn ddiweddarach gan Dvořák, a ddaeth maes o law yn dad-yng-nghyfraith iddo. Ar ôl gadael y coleg, ffurfiodd bedwarawd llinynnol a ddaeth yn enwog iawn, a thrwy gydol ei oes dilynodd yrfa oedd yn cyfuno perfformio, cyfansoddi a dysgu.

SULLIVAN, Syr Arthur (1842–1900)

Cyfansoddwr o Sais a oedd yn fab i arweinydd seindorf filitaraidd. Erbyn iddo fod yn wyth oed roedd y mab wedi meistrioli holl offerynnau'r band ac yn dangos addewid aruthrol. Astudiodd yn yr Academi Gerdd Frenhinol yn Llundain ac yn Leipzig, gan gyfansoddi nifer o ddarnau poblogaidd a'i gwnaeth yn enwog, megis 'The Lost Chord' ac 'Onward Christian Soldiers'. Ym 1871 cafodd gomisiwn i gydweithio efo W S Gilbert, partneriaeth a greodd rai o weithiau theatrig mwyaf poblogaidd Prydain, fel *The Pirates of Penzance* a *The Mikado*. Ond, er yr holl enwogrwydd a'r arian, ystyriai Sullivan yr operettas hyn yn ddibwys ac yn annheilwng o'i dalent. Fe'i hanrhydeddwyd gan y Frenhines Victoria ym 1883, ac y mae cofeb wedi'i chodi iddo yng Ngerddi Victoria yn Llundain.

TARTINI, Giuseppe (1692–1770)

Cyfansoddwr a chwaraewr ffidil a gafodd ei fagu ar aelwyd grefyddol mewn teulu cyfoethog yn yr Eidal. Yn erbyn ewyllys y teulu, a oedd am iddo baratoi ar gyfer bod yn offeiriad, aeth i Brifysgol Padua i astudio'r Gyfraith. Yno ymddiddorodd mewn cleddyfaeth, cerddoriaeth a chelfyddyd gain. Cyn iddo gyrraedd ei ugain oed, ac yn gyfrinachol, priododd â merch o'r enw Elisabetta, oedd o dan ofal Esgob Padua ac o bosib yn ferch neu'n nith iddo. Aeth yr Esgob yn gandryll gan orchymyn i Tartini gael ei arestio. Dihangodd yntau o'r ddinas wedi'i wisgo fel mynach a theithiodd i Assisi, lle y cuddiodd am ddwy flynedd. Tra oedd yno astudiodd gerddoriaeth a dysgodd sut i chwarae'r ffidil. O fewn ychydig roedd ei allu perfformio yn enwog a phobl yn tyrru i'w glywed. Oherwydd hyn cafodd faddeuant gan yr Esgob a chaniatâd i ddychwelyd i Padua at ei wraig ac i gymryd swydd gerddorol yn Eglwys St Andreas, swydd y bu ynddi weddill ei oes. Sefydlodd ysgol berfformio a chyfansoddi yn Padua gan ddenu myfyrwyr o wledydd tramor yn ogystal. Fel cyfansoddwr, lluniodd oddeutu 125 o gonsiertos i'r ffidil a thua 125 o sonatas, yn ogystal â gweithiau cerddorfaol a darnau corawl.

TCHAIKOVSKY, Pyotr (1840–1893)

Cyfansoddwr Rwsiaidd wnaeth astudio'r gyfraith i ddechrau ac a fu'n gweithio fel clerc mewn swyddfa. Newidiodd ei yrfa yn 23 oed gan fynychu'r Conservatoire yn St Petersburg. Roedd yn gymeriad nerfus, melancolaidd ac ar ôl priodi, er mwyn cuddio'i wrywgydiaeth, fe geisiodd ddifa'i hun. Mae ei gerddoriaeth ymysg y mwyaf emosiynol a dirdynnol erioed, ond hefyd ymysg y mwyaf poblogaidd. Am flynyddoedd bu'r hanes am ei farwolaeth o'r colera ar ôl yfed dŵr heb ei ferwi yn destun drwgdybiaeth, ac mae'n ymddangos mai cyflawni hunanladdiad wnaeth y cyfansoddwr ar orchymyn yr ysgol gyfreithiol y bu'n perthyn iddi, ac y byddai wedi dwyn anfri arni oherwydd ei weithgareddau hoyw.

TELEMANN, Georg Philipp (1681–1767)

Cyfansoddwr Almaenig a oedd ymysg y mwyaf toreithiog erioed. Dangosodd dalent gerddorol anghyffredin yn blentyn ifanc iawn, gan ddod yn chwaraewr ffidil, ffliwt ac allweddellau heb hyfforddiant o gwbl. Roedd wedi cyfansoddi opera erbyn iddo fod yn 12 oed. Wedi i'w rieni fynnu ei fod yn astudio'r Gyfraith ym Mhrifysgol Leipzig, galwodd Telemann i weld Handel ar y ffordd. Rhoddodd y cyfarfyddiad hwnnw ddiwedd ar unrhyw syniad pellach o wneud y Gyfraith ac yn Leipzig cyfansoddodd operâu ar gyfer y theatr yno a gweithiau eglwysig ar gyfer Eglwys St Thomas. Yn ddiweddarach aeth i weithio i Eisenach, lle daeth yn gyfeillgar â J S Bach. Ymledodd ei enwogrwydd dros Ewrop ac ym 1721 cafodd y swydd o fod yn gyfrifol am gerddoriaeth pump o eglwysi Hamburg. O ran cynnyrch, mae'n debyg i Telemann gyfansoddi cymaint â chyfanswm cerddoriaeth Bach a Handel gyda'i gilydd, a fo oedd prif gyfansoddwr yr Almaen yn ei gyfnod.

THIBAUD, Jacques (1880–1953)

Chwaraewr ffidil o Ffrainc a gafodd ei wersi cyntaf gan ei dad, cyn mynd i'r Paris Conservatoire yn 13 oed. Bu raid iddo ailddysgu ei dechneg ar ôl cael ei anafu yn y Rhyfel Byd Cyntaf, a daeth yn adnabyddus nid yn unig fel unawdydd ond hefyd fel rhan o grwpiau siambr efo pobol fel Alfred Cortot a Pablo Casals. Bu farw ym 1953 pan drawodd awyren Air France yr oedd yn teithio ynddi Fynydd Cemet yn yr Alpau gan ladd pob un o'r teithwyr.

THOMAS, Elin Manahan (g.1977)

Soprano sy'n arbenigo yn bennaf ar gerddoriaeth y cyfnod Baróc ac a aned yn Abertawe. Mynychodd Ysgol Gyfun Gŵyr ac, ar ôl ennill ysgoloriaeth yno, astudiodd ieithoedd Sacsonaidd a Cheltaidd yng Ngholeg Clare, Caergrawnt, sy'n enwog am ei weithgareddau corawl. Cyn hir, roedd yn canu gyda rhai o gorau gorau gwledydd Prydain, fel y Monteverdi Choir a The Sixteen, ac fel unawdydd uchel ei pharch. Aeth ei halbwm cyntaf, *Eternal Light,* yn syth i frig y siartiau.

TOSCANINI, Arturo (1867–1957)

Arweinydd Eidalaidd a ddechreuodd ei yrfa fel chwaraewr cello ac a gafodd gyfle annisgwyl un noson pan gafodd arweinydd y gerddorfa roedd yn chwarae ynddi ei fwio a'i hisian oddi ar y llwyfan gan y gynulleidfa. Perswadiwyd Toscanini i gymryd yr awenau a gwnaeth waith mor ardderchog fel y bu i'w yrfa newid yn syth – ac yntau'n 19 oed. Daeth i adnabod Verdi a Puccini ac arbenigo ar ddehongli'r gweithiau operatig Eidalaidd, a chyn hir roedd yn arweinydd preswyl yn La Scala. Ymledodd ei diriogaeth i gynnwys y Met yn Efrog Newydd yn ogystal â Cherddorfa Philharmonig y ddinas. Ef oedd y person cyntaf nad oedd yn Almaenwr i arwain yn Bayreuth, a bu hefyd ynghlwm â Gŵyl Salzburg am gyfnod. Gadawodd yr Eidal i fyw yn yr Unol Daleithiau ym 1937 ar ôl cael ei gam-drin gan y Ffasgwyr y bu'n un ohonyn nhw (ac yn ymgeisydd seneddol) am gyfnod. Crëwyd cerddorfa'r NBC Symphony yn arbennig ar ei gyfer a gwnaeth nifer o recordiau nodedig efo nhw. Yn enwog am ei dymer byr, roedd Toscanini yn un o ddisgyblwyr llymaf byd y baton.

VAUGHAN WILLIAMS, Ralph (1872–1958)

Cyfansoddwr o Loegr a astudiodd yn Llundain, Berlin a Pharis ond a greodd ei arddull arbennig ei hun. Roedd yn un o'r rhai a gasglodd ac a astudiodd alawon gwerin ei wlad gan blethu eu nodweddion i mewn i'w gerddoriaeth. Lluniodd naw symffoni a nifer o ddarnau cerddorfaol eraill sy'n dal yn boblogaidd heddiw. Oherwydd ei wrthwynebiad chwyrn i Natsïaeth gwaharddwyd perfformio'i waith yn yr Almaen a bu'n weithgar iawn yn cynorthwyo ffoaduriaid Iddewig. Gwirfoddolodd i wasanaethu yn y fyddin er ei fod dros 40 oed. Parhaodd i gyfansoddi yn ystod ei hen ddyddiau, heb unrhyw ball ar ei greadigrwydd. Credai'n gryf fod cerddoriaeth yn mynegi ac yn adlewyrchu enaid cenedl.

VERDI, Giuseppe (1813–1901)

Cyfansoddwr Eidalaidd a gafodd wersi organ yn lleol cyn mynd i Milan, lle y cafodd ei wrthod gan y Conservatoire, ac felly astudiodd gydag athro preifat. Wedi dychwelyd i'w ardal enedigol a chael ei wrthod am swydd arweinydd côr yr eglwys, fe'i penodwyd yn athro cerdd y dref. Ar yr un pryd dechreuodd gyfansoddi operâu gan symud i fyw i Milan er mwyn cael gwell cyfle i berfformio. Cynhyrchwyd yr opera gyntaf ym 1839 ac yr oedd yn gryn lwyddiant. Cafodd gomisiwn i lunio dwy arall ond yn ystod y cyfnod hwn bu farw ei ddau blentyn a'i wraig, a thyngodd Verdi na fyddai'n cyfansoddi mwy. Pan ddangoswyd libretto *Nabucco* iddo fe adnewyddwyd ei ysbryd a chyn hir roedd yr opera'n boblogaidd dros Ewrop a'r Unol Daleithiau. Dilynodd hyn gyda chyfres o operâu sy'n dal i fod yn sylfaen pob cwmni opera yn y byd. Bu'n cynrychioli ei ardal fel cynghorydd taleithiol ac yn ddiweddarach cafodd ei berswadio i fod yn aelod seneddol yn y llywodraeth. Ond ymddiswyddodd ar ôl blwyddyn ac yn y bôn roedd yn well gan Verdi y bywyd syml. Roedd wrth ei fodd yn tacluso o gwmpas ei fferm a helpu nifer o elusennau. Pan fu farw, roedd 28,000 o bobol allan ar y strydoedd ar ddiwrnod ei angladd.

VIEUXTEMPS, Henri (1820–1881)

Chwaraewr ffidil a chyfansoddwr o Wlad Belg a astudiodd yn gyntaf gyda'i dad, gan wneud ei ddatganiad cyhoeddus cyntaf yn chwech oed. Cyfunodd yrfa lwyddiannus fel unawdydd ffidil teithiol enwocaf i gyfnod a chyfansoddwr nifer o ddarnau technegol anodd, a oedd yn creu tipyn o sioe. Daeth ei yrfa i ben yn ddisymwth ac yn greulon pan y'i trawyd â'r parlys ym 1871, gan ei orfodi i gymryd swydd fel athro ffidil ym Mrwsel.

VILLA-LOBOS, Heitor (1887–1959)

Cyfansoddwr o Frasil a gafodd ei rwystro, yn 11 oed, gan ei fam i ymarfer y piano yn dilyn marwolaeth ei dad, yn y gobaith y byddai'n troi at yrfa mewn meddygaeth. Ond dihangodd y plentyn i fyw gyda'i fodryb, oedd yn bianydd, a dysgodd ei hun i chwarae'r gitâr. I ennill arian ymunodd â cherddorion y stryd yn Rio de Janeiro, gan berfformio hefyd mewn gwestai a thai bwyta. Teithiodd i rannau diarffordd o Frasil i gasglu alawon gwerin ac wedi hynny astudiodd gerddoriaeth rai o'r meistri cyfoes fel Debussy, gan fynd draw i Ffrainc i ganfod mwy. Yn ei gyfansoddiadau mae'n aml yn cyfuno nodweddion alawon a rhythmau Brasil gydag arddull J S Bach.

WAGNER, Richard (1813–1883)

Cyfansoddwr Almaenig a dreuliodd ei fywyd yn creu operâu (y gerddoriaeth a'r geiriau) ar gynfas eang, yn aml yn seiliedig ar chwedlau a mytholeg gwledydd y gogledd. Rhoddodd hefyd bwyslais arbennig ar gyfraniad y gerddorfa fel llinyn cysylltiol yn y gweithiau, gyda themâu penodol i gymeriadau ac emosiynau. Adeiladodd theatr ar gyfer perfformiadau o'i weithiau ei hun yn Bayreuth ac yr oedd yn un o brif ddylanwadau cerdd ei oes a'r cyfnod dilynol. Achosodd gryn rwyg (ac mae'n dal i wneud) ymysg beirniaid a chyfansoddwyr – rhai yn ei addoli, eraill yn ei gasáu. Bu hefyd gryn ddadlau ynglŷn â'i sylwadau ar Iddewon, a'r posibilrwydd i'w draethodau ar hiliaeth ddylanwadu ar Adolf Hitler. O ran ei fywyd personol cafodd sawl perthynas garwriaethol grasboeth ac yr oedd wastad mewn dyled.

WALTON, Syr William (1902–1983)

Cyfansoddwr a anwyd i deulu cerddorol yn Oldham ac a astudiodd yn Rhydychen ond a ddaeth oddi yno heb radd. Cafodd ei ddylanwadu gryn dipyn gan arddull jazz boblogaidd y cyfnod a bu'n gyfeillgar gyda theulu llenyddol y Sitwells, a fu'n fodd i ehangu ei gylch cymdeithasol celfyddydol yn Llundain. O'r 30au ymlaen câi ei ystyried fel cyfansoddwr mwyaf i gyfnod yn Lloegr, ac yn ystod yr Ail Ryfel Byd daeth i amlygrwydd pellach ar sail ei gerddoriaeth ar gyfer ffilmiau. Ond, yn ddiweddarach, gyda dyfodiad Benjamin Britten a chyfansoddwyr eraill, roedd arddull neo-ramantaidd Walton yn ymddangos yn henffasiwn, ac fe bylodd ei apêl am gyfnod. Symudodd i fyw ar ynys Ischia yn yr Eidal ym 1949.

WARLOCK, Peter (1894–1930)

Cyfansoddwr a aned yng ngwesty'r Savoy yn Llundain, ei fam yn Gymraes a'i dad yn Sais. Bu'r tad farw pan oedd y mab yn blentyn, felly fe ddychwelodd y fam i Gymru ar ôl ailbriodi, a byw yng nghartref moethus y teulu yng Nghefn Bryntalch, Aber-miwl, ger y Drenewydd. Fe'i haddysgwyd yng Ngholeg Eton ac yna aeth i astudio'r Clasuron yng Ngholeg Crist, Rhydychen. O ran cerddoriaeth, dysgodd yr elfennau ei hunan drwy astudio gweithiau cyfansoddwyr fel Delius a Quilter. Roedd ganddo hefyd ddiddordeb mawr yn y traddodiad Celtaidd a dysgodd Gymraeg, Cernyweg, yr Wyddeleg, ynghyd ag ieithoedd Ynys Manaw a Llydaw. Yn gymeriad cymhleth, ei enw bedydd oedd Philip Heseltine, a dyna a ddefnyddiai wrth ysgrifennu erthyglau ac adolygiadau cerdd. Ond, fel cyfansoddwr, mabwysiadodd y ffugenw Peter Warlock, gan ganolbwyntio'n bennaf ar lunio caneuon a cherddoriaeth siambr. Yn ei fywyd personol ymddiddorai yn yr ocwlt, arbrofai gyda chanabis, ac roedd yn hoff o lunio limrigau anllad. Mae'n debyg mai ar Warlock y seiliodd y nofelydd D H Lawrence y cymeriad Julius Halliday yn ei nofel *Women in Love*, a arweiniodd at fygythiad o achos llys. Roedd y ffilm *Voices from a Locked Room* hefyd yn seiliedig ar ei fywyd, gan ei bortreadu fel person oedd yn dioddef o gymhlethdodau personoliaeth dybryd. Yn sicr dioddefai o iselder ysbryd eithafol a bu cryn ddyfalu ynghylch amgylchiadau ei farwolaeth yn 36 oed mewn ystafell lawn nwy.

WEBER, Carl Maria von (1786–1826)

Cyfansoddwr Almaenaidd fu'n bwysig yn hanes datblygiad yr opera Almaenig. Er yn hynod boblogaidd yn ei ddydd, *Der Freichutz* (1821) yw'r unig opera sy'n dal yn y repertoire heddiw, ond mae nifer o'i ddarnau cerddorol yn dal yn boblogaidd.

WEBERN, Anton (1883–1945)

Cyfansoddwr o Awstria a astudiodd ym Mhrifysgol Fienna ac a fu'n ddisgybl i Arnold Schönberg gan ddatblygu arddull fodern, flaengar ei athro. Gelwir y triawd sy'n cynnwys Schönberg, Webern ac Alban Berg yn Ail Ysgol Fienna, ac ystyrir Webern fel dylanwad cryf ar gyfansoddwyr diweddarach fel Stockhausen, Boulez, Dallapiccola ac eraill.

WECHSBERG, Joseph (1907–1983)

Awdur a gohebydd a aned i deulu Iddewig yn Awstria ac a astudiodd ar gyfer gradd yn y Gyfraith yn Tsiecoslofacia. Treuliodd beth amser yn chwarae'r ffidil yn ardal Montmartre ym Mharis ac yn y Folies-Bergère cyn symud i fyw i'r Unol Daleithiau ym 1938. Bu'n cyfrannu erthyglau ar faterion celfyddydol a hanesyddol i nifer o gylchgronau Americanaidd, ac roedd ganddo hoffter arbennig at gerddoriaeth a bwyd.

WILDE, Oscar (1854–1900)

Dramodydd, nofelydd a bardd Gwyddelig a aned yn Nulyn i deulu hynod barchus. Cafodd yrfa ddisglair ym mhrifysgolion Dulyn a Rhydychen, a daeth i enwogrwydd yn Llundain am ei ddramâu llwyddiannus a'i ffraethineb deifiol. Daeth ei gwymp yn ddisymwth a dramatig pan gafodd ei gyhuddo o wrywgydiaeth a'i ddedfrydu i ddwy flynedd o garchar gyda llafur caled ym 1895. Bu farw bum mlynedd yn ddiweddarach o lid yr ymennydd, mewn gwesty rhad ym Mharis, heb geiniog i'w enw, ac yntau'n 46 oed.

WILLIAMSON, Malcolm (1931–2003)

Cyfansoddwr o Awstralia a addysgwyd yn y Conservatoire yn Sydney yn 11 oed, ac a symudodd i Lundain i astudio ymhellach ym 1950. Yn gyfansoddwr toreithiog, gyda diddordeb arbennig mewn cerddoriaeth ar gyfer plant a phobol anabl, fe'i penodwyd yn Feistr Cerddoriaeth y Frenhines ym 1975.

WOLF, Hugo (1860–1903)

Cyfansoddwr o Awstria oedd yn hynod dalentog yn blentyn ac a gafodd ei hyfforddiant cerddorol cyntaf ar y piano a'r ffidil yn bedair oed gan ei dad. Er hynny, nid gyrfa gerddorol oedd gobaith y teulu ond roedd y mab yn benderfynol. Yn fachgen cwerylgar ac anodd ei drin, cafodd ei ddiarddel o dair ysgol cyn mynd yn fyfyriwr i'r Conservatoire yn Fienna. Yno hefyd bu'n broblem i'w ddiwtoriaid a chafodd ei daflu allan cyn diwedd ei ail flwyddyn. Yr un oedd yr hanes pan gafodd swyddi fel arweinydd cerddorfa cynorthwyol ac adolygydd cylchgrawn cerdd – ei natur gwerylgar ymosodol yn cythruddo pawb o'i gwmpas. Er iddo fyw mewn tlodi mawr, astudiodd weithiau piano Beethoven, ac yn drwm o dan ddylanwad Wagner dechreuodd gyfansoddi cerddoriaeth lawn ysbrydoliaeth ac egni, gan ennill cryn glod. Arbenigodd ar greu caneuon ar eiriau Eidaleg ac Almaeneg gan ychwanegu cyfoeth o gerddoriaeth i fyd y *lieder*. O ran ei fywyd personol, bu mewn cariad â Melanie Köchert, gwraig ei ffrind (a'i noddwr) Heinrich, am rai blynyddoedd cyn iddyn nhw gychwyn perthynas yn y dirgel. Pan ddarganfu Heinrich y gwirionedd, parhaodd yn gyfaill i'r cyfansoddwr ac yn briod â'i wraig. Yn berson sensitif, dirywiodd stad feddyliol Wolf yn sylweddol tua 1897 ac fe'i rhoddwyd mewn gwallgofdy ar ôl iddo geisio lladd ei hun. Byddai Melanie'n ymweld ag o yno yn ffyddlon hyd ei farwolaeth ym 1903, a thair blynedd yn ddiweddarach, gyda'r euogrwydd iddi fod yn anffyddlon i'w gŵr yn ei llethu, cyflawnodd hunanladdiad drwy neidio allan o ffenest ar bedwerydd llawr ei chartref yn Fienna.

Am restr gyflawn o lyfrau'r wasg,
mynnwch gopi o'n Catalog newydd, rhad
– neu hwyliwch i mewn i'n gwefan

www.ylolfa.com

i chwilio ac archebu ar-lein.

Talybont Ceredigion Cymru SY24 5HE
e-bost ylolfa@ylolfa.com
gwefan www.ylolfa.com
ffôn (01970) 832 304
ffacs 832 782